BAD GIRL

NANCY HUSTON

BAD GIRL

CLASSES DE LITTÉRATURE

récit

BABEL

à Inge Schneier-Hoffmann

50 ans enfermée dans le noir — résultat rage résultat — frustration de savoir / 10 ans curiosité insatisfaite — rage outrage résultat rage — empêchée d'être / 1 an — abandonnée — pourquoi me délaissent-ils — où sont-ils / 3 mois — affamée et oubliée — peur de la mort.

LOUISE BOURGEOIS

Qu'est-ce qui nous permet de continuer ? C'est le son qui va et qui vient, comme l'eau parmi les pierres…

GÖRAN TUNSTRÖM

Toi, c'est toi, Dorrit. Celle qui écrit. Toi à tous les âges, et même avant d'avoir un âge, avant d'écrire, avant d'être un soi. Celle qui écrit et donc aussi, parfois, on espère, celui/celle qui lit.

Un personnage.

Tu t'accroches. S'accrocher, Dorrit, sera l'histoire de ta vie.

Nous savons si peu, si peu sur le pourquoi de notre être-en-vie. Peut-être Kenneth et Alison ont-ils donné une fête? Peut-être ont-ils flanqué au lit leur fils de presque dix-huit mois et ensuite, en la joyeuse compagnie de leurs amis, se sont-ils envoyé quelques laits de poule de trop? Peut-être, les amis partis, se sont-ils aperçus qu'ils étaient en panne de capotes, mais la pharmacie étant fermée, comme c'était Noël et minuit largement passé, se sont-ils contentés de faire gaffe, mais pour une raison x n'y sont-ils pas arrivés, de sorte que, très tôt le matin de Noël ou de Boxing Day, les fluides du père se sont malencontreusement mêlés à ceux de la mère… ?

Boxing Day ne signifie pas, comme tu le croiras longtemps, le jour où les gens assistent à des matchs de boxe. Non, c'est le jour où ils mettent tous leurs cadeaux de Noël dans des boîtes. Non, ça ne peut pas être ça. Les cadeaux viennent juste de *sortir* de leurs boîtes... Bon alors, le jour où ils mettent les restes de leurs festins dans des boîtes. Non, oublie ça... Ah! ça y est, le jour où, vu qu'ils viennent de recevoir de nouveaux habits pour Noël, ils mettent leurs vieux habits dans des boîtes pour les donner aux pauvres.

Non, ce n'est pas ça non plus.

Kenneth et Alison étant beaux, jeunes (début de la vingtaine) et tout vibrants d'hormones, on peut supposer qu'ils s'entendent au lit, bien que, peut-être, de plus en plus, seulement là. Oui c'est ainsi que, plausiblement, à quelques détails près, tandis que le rugissement du père et le profond gémissement rauque de la mère arrachent à son sommeil leur fils Stephen, tu as été conçue.

Naturellement, tu n'entends rien de tout cela, n'ayant pour l'instant ni oreilles ni âme pour l'entendre. Ces choses viendront plus tard. Les scientifiques peuvent dire *quand* avec précision en ce qui concerne les oreilles, non l'âme. Pour l'instant, tu n'es qu'un petit tas de cellules qui passent leur temps à se diviser c'est-à-dire à se multiplier dans l'utérus d'Alison, même si celle-ci, jaillissant du lit, jetant un peignoir sur son dos, se précipitant dans la pièce à côté pour ramasser son fiston hurlant et lui donner le sein, ou peut-être le biberon mais, qui sait, peut-être le sein, ne le sait pas encore. Quant à toi, tu ne sais rien, ni que les gens ont des seins, des chambres et des biberons, ni que les gens sont gens, ni que la Terre tourne autour du Soleil. Tu te contentes de te diviser et de te multiplier dans le silence, la noirceur et l'ignorance du giron maternel. Appeler cela une anse, un bosquet, une caverne ou un tombeau serait trop littéraire : il n'y a pas encore de mots, ni pour cela, ni pour quoi que ce soit. Tu es matière pure, dénuée de mots et d'esprit ; pourtant ces cellules qui obstinément se divisent et se multiplient sont déjà dotées d'un programme génétique qui, au cours des neuf mois à venir, va les transformer sauf accident en bébé humain.

Louons maintenant les grands hommes !

À l'instar des tas de cellules tremblotantes de toutes les espèces animales et végétales à la surface de la Terre, tu as une volonté de vivre, volonté aveugle mais irrésistible qui a fasciné Arthur Schopenhauer, impressionné Charles Darwin, dégoûté Jean-Paul Sartre et Milan Kundera.

Enfin, au bout de quinze jours environ, ta présence s'impose à Alison sous forme d'absence – de sang, le jour dit. Son cœur cesse de battre. Même si toi, tu n'as pas encore de cœur, tout ce qui arrive au corps de la mère t'arrive à toi. Son inspiration subite t'apporte un supplément d'oxygène ; ses arythmies cardiaques te déstabilisent.

Les jours continuent de glisser. On ne peut plus appeler cela un retard. Il faut désormais l'appeler un problème.

Avant qu'Alison ne se résigne à parler à Kenneth du problème, elle saute. Seule dans la chambre (ou dans la salle de bains, si son mari est dans la chambre), elle saute et saute et saute et saute et saute. Tu ne sais rien, Dorrit, ni des chambres ni des salles de bains, ni des sauts ni des maris, mais tu t'accroches. On pourrait ajouter un adverbe genre *désespérément* ou *passionnément*, mais il n'y a encore rien de désespéré ni de passionné dans ton cerveau car tu n'as pas encore de cerveau. Tu *es*, toute, accrochage. S'accrocher est l'essence et la somme de ton être.

Tu es une mauvaise nouvelle, Dorrit. Plus mauvaise à chaque instant – et plus grande, car tu enfles. Alison attend maintenant le moment propice pour annoncer à Kenneth la mauvaise nouvelle qui est toi. Ils n'ont pas de place pour toi. Ils ne te désirent pas, ne t'ont pas faite exprès, avaient juste envie de prolonger un peu la bonne humeur de Noël, la ribote, la douce ivresse que procure le lait de poule arrosé de rhum, *Oh allons tous à riboter / parmi les feuilles si vertes…* (Loufoque de chanter de telles chansons dans l'Ouest du Canada où, à la saison de Noël, l'on aurait du mal à dégoter une seule feuille verte.)

Tu ignores tout du Canada et de Noël, ignores que dans huit petits mois tu vas débarquer, tête la première ou pieds les premiers ou cul le premier, au beau milieu de la civilisation occidentale, pour vivre avec un jeune couple protestant au bord de la mésentente conjugale dans l'âge postindustriel, membre d'une famille de la classe moyenne, descendue, veut, veut pas, de colonisateurs.

La petite mauvaise nouvelle amorphe va bientôt être annoncée à son père et, vu qu'aucun Leonardo, Caravaggio ni Piero ne risque de se précipiter pour faire un tableau de cette Annonciation, il nous incombe de la décrire. Le cadre : une fenêtre à une seule vitre, donnant sur la cuisine tout en formica d'un deux-pièces loué dans une petite maison modeste de la ville de Calgary. Non, attends. Vu que nous sommes à la mi-janvier au Canada et qu'il fait moins vingt, on ne voit rien, la vitre est recouverte de givre. Il faut la frotter un peu pour la réchauffer. Voilà qui va mieux.

Au lieu de manger son porridge à l'avoine déli-cieusement tiède, bébé Stephen tape de sa cuiller sur le plateau de sa chaise haute. Hélas, il renverse le bol de porridge sur le sol en lino et du coup, en plus d'avoir à gérer l'éclat de colère-terreur de Kenneth et sa propre nausée de début de grossesse, Alison doit se mettre à quatre pattes pour le nettoyer. "Merde", marmonne-t-elle en ramassant, sur le sol, de ses mains nues, le porridge tiède à l'avoine pour le glisser dans la poubelle. "Putain", ajoute-t-elle – et, même si tu ne l'entends pas pousser ces jurons, sui-vis de sanglots, tandis que son jeune mari saute sur ses pieds et quitte la pièce en faisant violemment claquer la porte, tu sens monter la température de son corps. Une dose d'adrénaline traverse ton corps à toi, gros comme l'ongle d'un pouce, te stimulant à survivre plus férocement encore, à attraper la vie et à la serrer et à l'adorer, Dorrit.

Au Japon, les embryons avortés s'appellent *mizuko*, les enfants de l'eau. Leur protecteur est Jizô, vénéré dès le XIIIe siècle et toujours représenté comme un simple moine bouddhiste. Les mères vont au temple offrir à Jizô des ex-voto en souvenir de leurs enfants morts avant de naître, qui attendent pour pouvoir traverser la rivière des Enfers.

En Occident, alors que des millions de femmes se sont fait avorter au cours des âges, les représentations de cet événement (hormis, dans l'iconographie chrétienne, les punitions prévues pour les mères infanticides) sont à peu près inexistantes.

Annie Ernaux : "Je ne crois pas qu'il existe un *Atelier de la faiseuse d'anges* dans aucun musée du monde*[1]."

1. Les références des citations suivies d'un astérisque se trouvent en fin de volume, p. 261 et suiv.

Point n'est besoin de remonter au Moyen Âge. Il suffit de glisser quelques petites décennies en arrière, jusqu'au début du XXᵉ siècle, et, avec l'histoire de Camille Claudel que Paul son frère célèbre et influent et catholique et littérairement doué a fait enfermer à l'asile psychiatrique jusqu'à ce que mort s'ensuive parce qu'elle s'est fait avorter, on se trouve en pleines ténèbres.

Deux grands artistes fabriquent ensemble un enfant, mais l'enfant se trouve dans les entrailles de l'une et non de l'autre. Auguste ne sera pas présent lorsque Camille se fera serfouir le corps pour en arracher et exterminer l'embryon dont, pourtant, la moitié des chromosomes sont les siens. On ignore les circonstances exactes de l'intervention mais elles sont faciles à imaginer : brusquerie et mépris chez l'opérante, peur chez l'opérée, culpabilité, hémorragies, peur, fièvre, flots de sang, peur, secret, humiliation. (Comment Paul l'a-t-il appris ?) Auguste pendant ce temps ne saigne pas ; continue à penser et à créer. Et quand, plus tard, Camille s'acharnera contre ses propres sculptures, quand elle frappera, fracassera, détruira la beauté de son travail, effectuant ce qu'elle-même qualifiera de "sacrifice humain", pulvérisant les corps qu'a engendrés son imaginaire tout comme elle a pulvérisé le petit corps venu se nicher en son sein, Auguste la délaissera. Ne lèvera pas le petit doigt pour empêcher ou pour raccourcir son internement.

Paula Rego, peintre portugaise née en 1925, réalise en 1997 *Sans titre,* une série de toiles représentant des femmes, le plus souvent seules, le corps crispé de douleur, le visage grave, bouleversé mais déterminé, les mâchoires serrées. Elles ne sont pas nues, mais leurs habits sont en désordre. L'une d'elles est assise sur un seau placé près du lit ; une autre est agenouillée devant le lit, le front appuyé contre le matelas ; une autre se tord sur le lit, les jambes posées sur deux chaises ; une autre est en position d'accouchement mais n'accouche pas ; une autre encore croise les bras sur son ventre ; une autre est assise, les mains serrées sur ses cuisses écartées. Près d'elles sur le sol traînent des linges ensanglantés ; elles ont mal ; elles sont seules.

"J'ai fait ces tableaux pour le Portugal, dit Rego qui, depuis les années cinquante, habite à Londres. Je voyais le secret, la douleur, la honte. Les femmes venaient tout le temps me demander de l'argent pour se faire avorter. Parfois elles mouraient de septicémie. Ou alors elles échouaient sur la plage toutes tripes dehors, telle une vieille vache boursouflée*."

Le Portugal, cette année-là, votera contre le projet de loi légalisant l'avortement.

L'écrivaine française Annie Ernaux s'est fait avorter à l'âge de vingt-trois ans, en 1963. Dans *L'Événement,* elle dit avoir vécu ce geste comme une libération. La faiseuse d'anges a déclenché le processus, mais c'est dans les toilettes de sa résidence universitaire à Rouen qu'a eu lieu l'expulsion de l'embryon : la jeune femme a vu "un petit baigneur pendre de [s]on sexe au bout d'un cordon rougeâtre*", elle l'a pris dans une main, a avancé dans le couloir en le serrant entre ses cuisses, a marché avec ça jusqu'à sa chambre, a appelé son amie O., s'est assise sur le lit avec le fœtus entre les jambes, et a dit à O. de couper le cordon, après quoi, les yeux rivés sur l'enfant au corps minuscule et à la "grosse tête", les deux jeunes femmes se sont mises à pleurer silencieusement. Enfin, O. est allée chercher un sac en plastique dans sa chambre et, après avoir glissé son fœtus de trois mois dans le sac, Annie l'a amené aux toilettes et a tiré la chasse.

Elle dit, dans un vocabulaire qui rappelle celui de Camille : "C'est une scène sans nom, la vie et la mort en même temps. Une scène de sacrifice."

Née un an avant Ernaux, Clotilde Vautier se fera avorter cinq ans après celle-ci : en 1968, l'année de tous les soulèvements, révoltes et libérations, juste avant que la contraception ne devienne légale en France. Clotilde est peintre. Elle a vingt-neuf ans, un mari espagnol nommé Antonio, peintre lui aussi, et deux adorables petites filles, Isabel et Mariana. En mars doit avoir lieu à Rennes sa première expo personnelle.

Soudain c'est le drame : elle est enceinte. Ayant déjà emprunté pas mal d'argent pour acheter son matériel de peinture en vue de l'expo, Clotilde n'ose "taper" ses amis une deuxième fois pour le voyage à Londres... Paniqués, elle et Antonio se rendent chez un couple d'amis à Saint-Malo : l'homme est médecin ; la femme a déjà posé pour Clotilde. Mais la réponse est non, c'est trop dangereux. Faciliter l'avortement est un crime passible de prison. L'ami médecin leur donne une sonde.

C'est le milieu de la nuit. Les petites filles dorment dans la pièce à côté. Clotilde s'allonge sur le lit. Près d'elle, Antonio est tétanisé de peur. La jeune femme essaie de plaisanter pour le détendre, tout en introduisant la sonde dans le lieu de leur plaisir. L'idée est de percer la paroi utérine pour que s'écoule le liquide amniotique qui maintient l'embryon en vie. Mais comment s'y prendre ? Vautier a beau avoir étudié l'anatomie à l'École des beaux-arts de Rennes, et le nu féminin a beau être l'emblème de la peinture occidentale, personne n'a instruit ces jeunes gens au sujet de ces parties-là du corps féminin : les parties invisibles, intérieures, ténébreuses, sacrées, fécondes, où se fabrique la vie humaine. La sonde perfore, non l'utérus mais l'intestin. Le sang coule, la femme crie. Antonio fait venir un médecin. Jetant un coup d'œil sur le lit qui ressemble à un étal de boucherie, le médecin leur dit que tout va s'arranger… et s'éclipse.

Antonio sait que l'hôpital ne prendra Clotilde en charge que si elle se présente en état d'hémorragie massive, c'est-à-dire en danger de mort. Il la transporte à l'hôpital, qui la garde. Il court s'occuper de son vernissage.

Pendant que la jeune peintre perd son sang, les visiteurs s'arrêtent devant ses toiles et les commentent. Ils voient les jaunes acidulés, les verts profonds, les rouges terre de Sienne – *Nature morte aux harengs* – les bras dansants des arbres et le scintillement des écailles de poisson – *Nature morte au moulin à café* – toutes ces choses de la vie qu'a aimées Clotilde Vautier. On la transfère dans un autre hôpital – *Isabel à la rose rouge* – on lui diagnostique une occlusion intestinale – *Mercedes au bandeau blanc*. Suite à des complications – *Marie-Alice au chapeau* – elle souffre d'une septicémie – *Claude en vert* – la vie la quitte.

Plus tard, Dorrit, dans ta vie française, tu écriras un article recommandant que l'on érige un monument à l'Avortée inconnue, martyre de la société au même titre que le Soldat inconnu. Au moins cinq mille morts par an en France, écriras-tu, chaque année du xxᵉ siècle jusqu'à la loi Veil en 1975. Ce n'est jamais le bon moment de parler de ces mortes-là, écriras-tu. Avant la loi Veil c'était trop tôt, parce que leur geste était interdit, tabou, illégal, honteux, scandaleux. Et après c'était trop tard, parce que leur geste était devenu légal, banal, normal, une petite opération de rien du tout.

Écriras-tu. Mais la vérité, Dorrit, c'est que tu ne ressembles ni à Clotilde Vautier ni à Annie Ernaux ni à Camille Claudel. Se faire avorter ce n'est pas ton problème. Ton problème c'est être, toi, en vie grâce à un avortement raté.

Les pensées, élans et gestes meurtriers d'une femme désespérée ont agi sur ton corps encore minuscule tout comme, dans *La Colonie pénitentiaire* de Kafka, les aiguilles impriment leur sentence sur le corps du prisonnier, l'obligeant à apprendre à lire, non avec les yeux mais avec la peau du dos.

Toutes les cellules de ton corps ont enregistré le message : *Tu devrais être morte. Tu mérites de mourir. Nous aurions préféré que tu sois morte.*

D'où vient le thème juif dans votre travail ? te demanderont, plus tard, lecteurs et journalistes. Tant de personnages juifs, blagues juives, tragiques destinées juives, c'est bizarre dans les romans d'une cow-girl *shikse*, vous n'avez rien d'une juive ! Pourquoi cette identification pérenne au peuple persécuté ?

Toujours, tu répondras à cette question avec légèreté et de façon contradictoire, en disant, et d'un, que tu ne sais pas et n'as pas envie de savoir, les écrivains n'étant pas responsables de leurs obsessions, ne pouvant à la fois écrire leurs livres et les analyser ; et de deux, que tu as quand même passé deux ans de ta vie au sein d'une famille juive à New York et quinze ans dans le *pletzl* juif au cœur de Paris, et connais donc cet univers de l'intérieur ; et de trois, que tu t'identifies aux juifs de la diaspora, partageant avec eux, entre autres, l'absence d'une appartenance nationale claire et évidente, et un certain humour noir.

Ne serait-ce plutôt que, comme la population juive d'Europe, tu étais promise à l'anéantissement ?

La destruction des juifs est un phénomène si horrifiant, si monstrueux et disproportionné, qu'il a dû t'aider à oublier le projet de ta destruction à toi. Tout se passe comme si, une fois ton cerveau suffisamment développé pour réfléchir, il s'était mis à chercher des analogies et avait fini par choisir celle-là. Ne parlons pas de *moi,* insiste-t-il. Regarde ce qui leur est arrivé, à *eux!*

Parlons donc un peu de toi.

Dans une chronologie dressée par Stephen et Kenneth en 1990, quand ils avaient respectivement trente-neuf et soixante ans, la case qui correspond à la période de ta naissance *(février 1953-mai 1954)* contient cinq lignes.

> *Plusieurs déménagements à Calgary.*
> *Naissance de Dorrit.*
> *Kate.*
> *Mauvaise période.*
> *Revenus incertains.*

Sacrée période. *Plusieurs déménagements à Calgary.* Que signifie au juste "plusieurs"? Plus d'un ou deux, au-delà de quelques-uns, moins que nombreux… disons, sept ou huit? Tellement, en tout cas, que les noms des quartiers successifs n'ont pas été inscrits, peut-être pas même retenus. *Mauvaise période, revenus incertains…*

Cette case ne renfermant apparemment que détresse et négativité, il serait assez surprenant que *Naissance de Dorrit* ait été l'occasion de folles réjouissances.

Qu'en est-il de *Kate*? Source de joie, peut-être? Fête enchanteresse? Pas tout à fait.

Kate était l'âme sœur de Kenneth. Ils avaient noué connaissance à l'université, et s'étaient plu. Mais comme ils n'avaient pas encore vingt ans, comme leurs sentiments étaient violents et leur rapport à l'Église intimidant, Kate avait décidé qu'il valait mieux attendre un peu. Prendre le temps de prier Dieu pour savoir si leur destin était bien, comme ils le croyaient, de passer leur vie ensemble. Ainsi était-elle partie étudier deux ans dans une autre ville, tout en restant en étroit contact avec Kenneth par courrier. Leurs lettres – fréquentes, longues et passionnées – tournaient essentiellement autour de thèmes spirituels.

Mais à l'automne de la deuxième année, rencontrant Alison dans une fête, Kenneth avait été incapable de résister à 1° sa beauté, 2° son sens de l'humour, 3° ses habits sexy (au choix). Dès le mois d'octobre, Alison s'était retrouvée enceinte et Kenneth n'avait eu d'autre choix que de faire amende honorable. À la fin de l'année scolaire, Kate était mariée elle aussi, et son époux – qui a dû parfois hocher la tête d'incrédulité devant sa bonne chance – n'était autre que Patrick, le frère cadet de Kenneth.

Leur mariage respectif n'a point empêché les âmes sœurs de poursuivre leur correspondance ardemment spirituelle. Et c'est ainsi qu'un jour – jour qui se situe, donc, peu avant ou peu après celui de ta naissance – Alison, soit qu'elle rangeait innocemment des papiers sur la table de travail de Kenneth, soit qu'elle fouinait délibérément dans ses affaires, est tombée sur le paquet de lettres de Kate. Ayant défait le ruban qui les liait, elle a étalé sur le bureau les feuilles bleu pâle, ou peut-être ivoire, déchiffré sans difficulté la belle écriture régulière de sa belle-sœur par alliance, et… pété les plombs.

Sans doute les a-t-elle pétés d'autant plus que ces lettres étaient platoniques. Elle-même lestée de deux enfants en bas âge (dont une en *très* bas âge, peut-être en dessous de zéro), elle n'a pas dû apprécier de découvrir son mari embarqué dans une aventure théologique avec l'épouse de son petit frère.

Les femmes dévorées par la jalousie sexuelle disposent pour réagir de toute une panoplie de codes sociaux. Alison (qui était petite) aurait pu lancer à Kate (qui était grande), telle Hermia à Helena dans *Le Songe d'une nuit d'été* :

> *Et êtes-vous donc montée si haut dans son estime,*
> *parce que je suis petite comme une naine ?*
> *Suis-je donc si petite, grand mât de cocagne ?*
> *Parle ; suis-je donc si petite ? Je ne suis pas encore si*
>   *petite,*
> *que mes ongles ne puissent atteindre à tes yeux* !*

Mais une femme qui jalouse *l'âme* d'une autre femme, si elle recherche un précédent littéraire, risque de revenir bredouille. Ainsi Alison s'est-elle défendue avec la seule épée à sa disposition, à savoir le stylo. Les blessures qu'elle a infligées à sa rivale ont fait couler de l'encre rouge à la place du sang. Après avoir soigneusement lu les lettres de Kate à Kenneth en y corrigeant toutes les fautes d'orthographe et de grammaire, elle a replié les feuilles bleu pâle ou ivoire, les a rattachées avec le ruban, les a glissées dans une enveloppe, et les a retournées à l'envoyeuse avec, au-dessus de sa propre signature, ce coup de griffe : *À toi, pour un anglais amélioré.*

Le sexe est cocasse parce qu'il nous paraît si intensément personnel – intime – individuel – alors qu'il relève d'abord de l'espèce. Chez les humains et autres primates supérieurs, les zones érogènes sont innervées, non pour que l'on s'amuse, mais pour que l'on ait envie de les frotter, pour que l'on fasse des enfants, pour que les gènes de chacun se perpétuent. L'individualisme forcené de l'Occident moderne nous fait oublier d'où viennent et où vont nos élans et nos émotions. Rien de plus archaïque, simiesque et finalement impersonnel que la peur du viol ou la rage meurtrière du mari trompé. Mais, pleins d'orgueil et de morgue, nous sommes persuadés d'engendrer ces émotions dans notre psyché propre.

Si le désir sexuel n'était qu'une attirance gourmande du même type que les truffes au chocolat, la justice ne ferait pas une exception pour les crimes passionnels. On excuse partiellement ceux-ci parce qu'ils nous dépassent. Dans ces moments, submergés par le génome, on n'est plus *soi*. Le viol est traumatisme et non simple violence aggravée, en raison de son sens premier et dernier : lorsque, contre le gré d'une femme, un homme dépose son sperme dans son ventre, il fait irruption au moins symboliquement dans sa généalogie, c'est-à-dire dans les histoires qui la relient, à travers sa famille et son peuple, au passé et à l'avenir.

Tourné dans un champ entouré de montagnes, un film documentaire sur l'Ouzbékistan montre un groupe d'hommes, jeunes et moins jeunes, se livrant avec entrain à un sport traditionnel. C'est une forme de foot, si l'on veut : les hommes sont à cheval, les deux buts sont des monceaux de vieux pneus en caoutchouc, et le ballon est une chèvre morte. Les joueurs s'élancent à travers champ, se percutent violemment, arrachent le cadavre de la chèvre de la selle les uns des autres, galopent jusqu'à la pile de pneus à l'autre bout du champ et essayent d'y lancer l'animal avant qu'un membre de l'équipe adverse ne les rattrape pour le leur arracher et galoper follement en sens contraire pour tenter de le lancer dans leur pile de pneus à eux. C'est un sport assez brutal ; joueurs et chevaux se blessent régulièrement dans les collisions.

Un homme d'âge mûr explique à la cinéaste qu'il a tout fait pour dissuader son fils de s'adonner à ce sport, mais rien à faire ; les mâles ouzbeks s'y adonnent depuis des siècles. "Il a ça dans le sang", dit l'homme en haussant les épaules.

"Il a ça dans le sang" est presque toujours une façon de parler. Mais qui dit *façon de parler* ne dit pas *mots en l'air*. Chez l'espèce parlante, les mots comptent, les mots portent, les mots tuent.

Un temps, le poète palestinien Mahmoud Darwich fut amoureux d'une Israélienne. Il lui dédia des poèmes magnifiques.

> *… Je n'ai pas d'oiseau*
> *National ni d'arbres nationaux ni de fleur*
> *Dans le jardin de ton exil**

Mais lorsqu'un jour cet amour prit fin, ce fut, d'après les propres dires de Darwich, pour des raisons politiques. Le Roméo palestinien et la Juliette juive ne pouvaient se permettre d'ignorer la haine entre leurs deux maisons. Comment l'eussent-ils fait sans renier leur propre famille, l'histoire de leur peuple ?

Notre cerveau, langue, sensibilité, personnalité, nos opinions et sentiments sont façonnés par les êtres qui, pendant l'enfance, nous ont parlé et chanté, bercés et disciplinés. Or souvent, ces êtres ont vécu des choses atroces.

Personne n'est libre de tirer un trait et de dire : *Le monde commence avec moi, ici et maintenant.*

Pour son film documentaire *Feriez-vous l'amour avec un Arabe?*, la cinéaste française Yolande Zauberman a réalisé des interviews, à Jérusalem et à Tel-Aviv, avec de jeunes juifs et juives de milieux divers*. Elle a interrogé aussi quelques Arabes israéliens, et quelques Palestiniens, mais surtout des juifs. À mesure qu'avance le film, la question du titre – qui, à première vue, pouvait paraître facétieuse voire provocatrice – s'avère tragique.

Aux deux extrêmes des réponses recueillies : le *non* et le *oui* francs et sans complexe.

Le *non* franc est raciste. C'est l'intolérance, la crispation identitaire : Étant juive, je ne peux désirer, aimer et épouser qu'un homme qui est juif comme moi, comme ma famille, un point c'est tout. Faire l'amour avec un Arabe? berk!

Le *oui* franc est goguenard. Ben ouais, bien sûr, pas de problème! Du moment qu'une fille est bien foutue je veux bien me la taper, peu m'importe quel Dieu elle prie!

Entre ces deux extrêmes : une zone grise qui s'étend de *oui, mais* à *non, mais*. Les interviewés hésitent. Ils savent que la question est en réalité complexe. Que le désir sexuel ne relève pas du simple

plaisir individuel, mais convoque, que nous le vou-
lions ou non, notre lignée.

Il n'est pas facile d'harmoniser Histoire et pulsion
sexuelle. Le mythe du jardin d'Éden nous enseigne
que la connaissance s'accompagne de honte. Que ces
choses sont extraordinairement complexes. Que, si
nous tenons à ce qu'elles soient simples, nous devons
rester bêtes. En effet, les bêtes ne s'encombrent pas
d'interdits. Les tenants du *oui* et du *non* francs, non
plus.

Le plus bel entretien réalisé par Zauberman est celui de Juliano Merr Khamis, métis mi-juif mi-arabe, dont un des grands-pères a été victime de la Shoah et l'autre de la Naqba. Pour lui comme pour Mahmoud Darwich, les histoires d'appartenance et d'amour sont douloureuses.

On voudrait, dit en substance Merr Khamis, que l'amour soit plus fort que tout, or il ne l'est pas. On voudrait qu'il surmonte tous les obstacles, or il ne le fait pas. On voudrait que l'individu soit libre et souverain, qu'il décide seul avec qui il veut coucher, et avec qui il veut faire des enfants… Mais il n'y arrive pas, pour la bonne raison que *personne* n'est libre et souverain. "C'est difficile d'être un électron libre", murmure-t-il, d'une voix à peine audible, dans le micro de Zauberman.

En avril 2011, quelques jours après cette inter-view, Juliano Merr Khamis a été assassiné devant son théâtre à Jenine : le théâtre de la Liberté.

Un mois après la mort de Merr Khamis, en voyage au Moyen-Orient avec le Peintre, tu rencontreras à Ramallah un autre "électron libre", lui aussi homme de théâtre. Deux de tes bons amis t'ont suggéré de le contacter – un juif et un Arabe, ce qui t'a semblé de bon augure. François Abou Salem, fils d'un médecin juif hongrois, est le fondateur du groupe New Hakawati, qui depuis des années fait l'aller-retour entre le Théâtre national palestinien à Jérusalem et le théâtre Al-Kasaba à Ramallah.

C'est au Punto, bar-restaurant branché de Ramallah, que François vous donnera rendez-vous. La soixantaine décharnée, ce très bel homme à la barbe grise et aux cheveux blancs flottants vous parlera de sa compagne, une danseuse d'origine polonaise basée à Berlin. Tu songes encore à *Roméo et Juliette*… et à plusieurs écrivains juifs de ta connaissance qui, Américains, Français, Hongrois nés pendant ou juste après la guerre, ont épousé des Allemandes ou des Autrichiennes. Parmi celles-ci, deux se sont suicidées… tant il est vrai que l'amour individuel et les meilleures intentions ne suffisent pas pour réparer les crimes de l'Histoire.

La conversation avec François Abou Salem peine à devenir un vrai échange. Il parle sans discontinuer, comme sur pilote automatique, vous écoutant à peine. Au lieu de voir en vous des artistes complices, soucieux de comprendre la complexité de sa situation, il semble vous prendre pour des journalistes. Il vous expose longuement une nouvelle forme de psychothérapie qu'il utilise dans son travail de metteur en scène, la "gestion des états mentaux". En le quittant, vous vous dites que lui-même doit se trouver par moments en proie à des états mentaux difficiles à gérer.

Parfois, Dorrit, tu te feras naïve, légère, rêveuse. Comme en cette nuit rue Neblus à Jérusalem où, assise près du Peintre à la terrasse de votre chambre d'hôtel dans un état de félicité profonde, tu te laisseras traverser par mille menues impressions sensorielles : fenêtres mauresques à gauche, chrétiennes à droite... scintillement des étoiles... mélopée arabe qui monte d'une radio... chat qui explore la bâche servant de toit au café-restaurant d'en bas... groupe de juifs barbus, à chapeau, pressant le pas dans la nuit... jeune Arabe poussant un chariot chargé de victuailles... Tout cela, mêlé à la douceur et à la suavité de l'air, te donne envie de t'exclamer en soupirant : "Ô ville de Jérusalem ! Ce bonheur, le bonheur simple de l'instant présent, c'est ce que vous avez toujours chassé ! Pourquoi ne pas vous laisser aller à le goûter, au lieu de persister dans vos fictions et vos factions ?"

Mais tu sais que c'est impossible, car, nulle part au monde, même chez les Noa-Noa chers à Paul Gauguin, bonheur et désir n'ont été simples, détachés du reste, tributaires du présent pur. L'amour n'est pas qu'une affaire privée. Chacun de nous descend et dépend d'autres membres de notre espèce, et pas n'importe lesquels. Même si notre esprit refuse de

le savoir, et même si nous décidons de ne pas procréer, notre corps grouille de cette descendance et
de cette dépendance.

Nous ne tombons pas du ciel, mais poussons sur
un arbre généalogique.

Un an plus tard, des amis t'apprendront que le corps de François Abou Salem a été retrouvé sans vie au pied d'un immeuble à Ramallah. La police a conclu à un suicide par défenestration ; ses amis palestiniens sont persuadés que François a été "aidé" dans sa chute. Meurtre ou suicide, il est mort de sa situation impossible.

Peuvent vous tuer : la mésentente entre vos ancêtres. L'exil intérieur. L'incompréhension d'un soi par un autre soi. Merr Khamis et Abou Salem le savaient. Romain Gary aussi, qui, un temps, crut échapper à l'assassinat grâce à l'invention d'Émile Ajar. Cela n'a pas suffi. Il s'est exécuté quand même.

Tu vois comment tu es, Dorrit ? Te voilà partie te réfugier une fois de plus dans l'identité juive, enfouir ton visage dans le chaud giron de cette *yiddishe mama* que tu n'as jamais eue.

Ah ! que n'eusses-tu donné pour avoir une mère juive envahissante, intrusive, autoritaire, qui t'aurait gâtée et gavée et couverte de baisers, tapée aussi quand il le fallait, qui aurait pris soin de toi petite fille jusqu'à l'étouffement et puis, à mesure que tu grandissais, se serait plainte que tu ne faisais pas assez attention à elle, n'étais pas assez reconnaissante… ou se serait vantée de ce que tu payais un médecin cent dollars l'heure rien que pour le plaisir de lui parler d'elle. La mère juive au sujet de qui ont été inventées tant d'anecdotes : *Combien de mères juives faut-il pour changer une ampoule ? Aucune : "Pas grave, je resterai assise dans le noir."*

Ton arbre généalogique comporte zéro trace d'une branche sémitique, que ce soit arabe ou juive. Rien que des wasps[1] et encore des wasps. Un vrai essaim de guêpes, partant de l'Irlande et de l'Écosse, traversant l'Angleterre, puis sautant par-dessus la France (ce pays sans Dieu et sexuellement dépravé où, pour choquer tout le monde, tu choisiras de t'installer une fois adulte), arrivant en Allemagne et s'arrêtant là.

1. *White Anglo-Saxon Protestants*, l'acronyme signifie aussi "guêpes".

Côté Kenneth, les pays d'origine incluent l'Irlande ;
son patronyme est irlandais. Son père est l'enfant
d'un couple singulier pour le moins : lui bûcheron,
elle cuisinière ; lui sourd-muet, elle aveugle. Mariés
tardivement, ils ont eu deux fils et sont morts avant
l'adolescence de ceux-ci, les laissant orphelins.

C'est l'église méthodiste qui a pris en charge ton
grand-père et financé son éducation : reconnaissant,
il a juré de devenir plus tard pasteur dans cette secte,
et il a tenu sa promesse.

Dans une soirée à Cambridge (Massachusetts) vers la fin du XXe siècle, une philosophe américaine te parlera de son grand-père, qui a travaillé toute sa vie dans les mines de charbon du Tennessee. Petite fille, elle aimait à l'imaginer rentrant à la maison en fin de journée. "En ce moment il quitte la mine, se disait-elle ; il marche dans telle rue, il tourne le coin…" Si son grand-père n'ouvrait pas la porte au moment voulu de son récit, elle recommençait, toujours à partir de son départ de la mine. "Je me refusais à l'imaginer *au fond*", te dira-t-elle.

En écoutant le beau souvenir de cette philosophe, tu te rendras compte qu'il pointe une différence importante entre les intellectuels européens et américains : très souvent, les ancêtres immédiats de ceux-ci ont connu la misère.

Des *losers*. Le Nouveau Monde a été colonisé essentiellement par des hommes qui, dans le Vieux, étaient considérés et traités comme des perdants. Pas forcément des criminels mais, quand même, pas mal aux abois. Parmi les histoires que l'on te racontera sur la vie de tes grands-parents et de tes aïeuls, bon nombre se déroulent sur fond de détresse, de pauvreté et de tribulation. (Les autres respirent l'ennui, autre forme de tribulation.)

Côté Alison, les pays d'origine de ses aïeuls incluent l'Allemagne ; son nom de jeune fille était allemand. Les Allemands n'étant pas en odeur de sainteté après la Grande Guerre, son père à la recherche d'un emploi et d'une épouse a changé l'orthographe de son patronyme. Parmi tes aïeuls légendaires : sa grand-mère à lui, une sorcière. On disait que, rendue barjo par la solitude des fermes du Manitoba, elle hurlait à la pleine lune.

À cette époque dite Belle dans d'autres parties du monde, la solitude rendait barjos pas mal de femmes ayant immigré dans l'Ouest canadien. Élevées dans les villes et villages d'Europe, conviviaux, colorés et bourdonnants, elles ne s'habituaient pas à ces paysages aussi plats que vides, et souvent recouverts de neige, sans le moindre mouvement.

Les hommes, eux, étaient dehors à labourer la terre, à s'occuper des bêtes, à deviser ensemble, à se battre et à boire… mais les femmes, séquestrées dans leurs petites maisons individuelles, perdaient tous leurs repères. Certaines attachaient un ruban blanc au portail devant la maison, rien que pour repérer, en levant les yeux de leur vaisselle, un mouvement dans le paysage.

Oui les femmes devenaient barjos plus souvent que les hommes, mais certains hommes devenaient barjos aussi. Le grand-père d'Alison, par exemple (fils de la dame qui hurlait à la lune). Totalement barjo.

Peut-être sa mère sorcière était-elle devenue barjo avant de venir au Canada, voire née barjo, et avait-elle transmis à son fils les gènes de sa barjoterie ? Peut-être as-tu hérité toi aussi, Dorrit, un peu de cette barjoterie de ton arrière-arrière-grand-mère ? (Avoue-le : dans ton for intérieur, n'as-tu pas toujours eu un peu envie de hurler à la lune ?)

Le grand-père d'Alison était un bon à rien. Parfois il réussissait à décrocher des petits boulots, mais il les perdait toujours et se remettait à errer, à divaguer. Pour finir, il a été interné (et l'on frémit d'imaginer les conditions de vie dans un asile psychiatrique dans l'Ouest du Canada aux alentours de 1915).

Coïncidence étonnante : le magistrat manitobain qui a signé l'acte d'internement du grand-père paternel d'Alison n'était autre que… son grand-père maternel.

Après l'internement du bon à rien, sa famille (nombreuse) a sombré dans la misère la plus noire.

L'aîné de cette fratrie – ton grand-père, Dorrit – a tout fait pour prendre la place de son père absent. Il se levait à cinq heures du matin pour traire les vaches de la voisine (la veuve Brown, elle s'appelait) avant de partir à l'école. L'hiver, il glissait dans ses chaussures trouées des bouts de carton…

Oui : noire, la misère.

Les ancêtres de tes grands-mères semblent plus distingués – et du coup, plus ennuyeux.

Le nom de jeune fille de ta grand-mère paternelle la reliait, prétendait-elle, à l'une des épouses du roi Henry VIII d'Angleterre – pas de façon directe, bien sûr, les épouses en question ayant été décapitées pour n'avoir pas donné d'héritier au roi.

Elle a été élevée dans l'île du Prince-Édouard, à l'extrémité est du Canada. Distinguées, anglicanes, bien élevées, et, de plus, un peu éduquées, les femmes de sa famille passaient leur temps, non seulement à faire le ménage et la cuisine, mais à consigner dans un grand cahier tout ce qu'elles nettoyaient et cuisinaient. Jour après jour étaient méticuleusement notés chaque rideau lavé, javélisé, amidonné et repassé, chaque fourchette polie, chaque ragoût mijoté.

Ce journal témoigne avec éloquence du terrible gaspillage d'énergie et d'intelligence des femmes, même privilégiées, à l'époque des suffragettes. Pour la mère de Kenneth, fillette puis jeune fille, la leçon serait inoubliable : elle deviendrait féministe.

Quant à la mère d'Alison, tout ce que tu sais de sa vie d'avant le mariage c'est qu'elle jouait au tennis et était fille de magistrat. Ces simples faits suffisent pour situer sa famille plusieurs crans au-dessus de celle de son futur fiancé. Comment la fille de magistrat a-t-elle pu se déclasser au point d'épouser le fils d'un bon à rien barjo ? La réponse se trouve peut-être du côté du calendrier : à vingt-neuf ans, bien que dotée de beaux traits réguliers et d'une épaisse chevelure auburn, ta grand-mère était en passe de devenir vieille fille. Le fils du barjo, de quatre ans son cadet, a bien voulu d'elle.

Quand *toi* tu débarqueras, Dorrit, les deux maisonnées de tes grands-parents auront effacé toute trace de la cécité, la folie, la surdité, le mutisme, surtout la pauvreté, la faim et l'angoisse qui avaient hanté leur passé, et se seront confortablement installées dans une existence typique de la classe moyenne canadienne du milieu du XXᵉ siècle – existence qui, en imitation fantasmatique des meubles et manières britanniques, inclura des carafes en verre taillé et des assiettes cerclées d'or, des fauteuils rebondis et des tapis en pseudo-tapisserie, de longues et lourdes tables de salle à manger en bois poli, de l'argenterie en vrai argent, des serviettes en lin, des *s'il vous plaît, merci* et *excusez-moi* au début de chaque phrase, et le bénédicité au début de chaque repas… Un décor si solide, si impassible et si convaincant qu'il n'est pas simplement *concevable,* Dorrit, que vous ne soyez pas enracinés dans ce pays depuis au moins sept ou huit siècles.

Chacune des maisons de tes grands-parents possède également un piano.

S'étant fait amputer une phalange de son annulaire droit, à la suite d'une infection (botulisme dû à une boîte en fer-blanc aux rebords déchiquetés ?), ta grand-mère paternelle a dû retravailler les doigtés des morceaux qu'elle avait appris jeune fille dans l'île du Prince-Édouard.

En 1937, le journal d'Edmonton publie la photo de deux fillettes craquantes : à six et quatre ans respectivement, Alison ta future mère (brunette) et Beatrice ta future tante (blonde) sont de vrais petits prodiges du piano. Beatrice en fera son métier ; plus tard, elle sera ta première professeur de piano. Alison, elle, gardera le piano comme simple passe-temps ; elle s'amusera, entre autres, à jouer des airs de ses dix doigts... de pied.

À compulser tous ces jolis débris, lettres, photos et souvenirs, qui flottent dans le liquide amniotique avec toi, petite Dorrit, on ne peut qu'être frappé par le fait que, les premières années de ta vie, ce sont des femmes qui te mettront en contact avec la littérature et la musique.

Le piano était un élément clef de ce décor solide et impassible de la bonne société britannique auquel aspiraient tes quatre grands-parents, un signe extérieur de richesse qui proclamait : *Nous avons réussi. Nous ne pataugeons plus dans la boue et le purin, l'étable et la porcherie, nous sommes redevenus urbains, dans tous les sens du terme.*

Jamais ils ne se seraient attendus que Kenneth leur fils et Alison leur fille redégringolent la pente pour se trouver aux prises avec la pauvreté, la difficulté et la violence, la boue et la folie.

Il te sera difficile, quand tu débarqueras en France au début des années 1970, de faire tien le vocabulaire "lutte des classes" alors en vogue. Tu préféreras voir les disparités économiques comme des différences de destin – minimes et, au fond, presque négligeables. Souvent, avec candeur, tu déclareras te sentir plus proche des pauvres que des riches.

Cette attitude est largement due à la philosophie de Kenneth, qu'il a inculquée au long de sa vie à ses six enfants... philosophie certes d'origine chrétienne, mais renforcée et en quelque sorte rationalisée par ses propres difficultés et insuccès financiers : "L'argent n'a pas d'importance, Dieu pourvoira, les signes ostentatoires de richesse sont obscènes, la seule chose qui compte c'est le cœur, la capacité qu'ont (ou n'ont pas) les individus à aimer, à donner, à partager. Peu importe que l'on soit diplômé ou non d'une école prestigieuse ; l'éducation ne s'arrête jamais ; même dans les emplois les plus médiocres, on continue toujours d'apprendre."

Lui-même obligé sans cesse d'accepter, dans des usines à munitions, des champs de myrtilles ou des écoles d'ingénieurs, des emplois sans le moindre rapport avec ses passions intellectuelles, déprimé de façon chronique, souvent paralysé par la migraine, le père insistait obstinément : *All you need is love!* Malgré les nombreuses preuves du contraire que sa propre vie lui a infligées, il récitera ce credo avec tant de conviction que tous ses enfants l'avaleront… et seront obligés plus tard, chacun à sa manière, de le déconstruire.

Toi-même, Dorrit, tu exerceras entre treize et dix-neuf ans une série de métiers médiocres allant de plongeuse à prof de piano et de serveuse à standardiste en passant par modèle nu et vendeuse de glaces Häagen-Dazs. À dix-sept ans, tu travailleras une année à plein temps comme secrétaire médicale, versant la moitié de ton salaire à ton père pour l'aider à payer le loyer familial. L'année suivante, son incapacité à rembourser ce prêt manquera compromettre ta carrière universitaire – car, sauf à recevoir une bourse conséquente de Sarah Lawrence, l'excellente fac au nord de New York où tu as été acceptée, tu seras obligée d'aller à l'université publique de ton quartier, le Bronx.

En avril 1972, âgée de dix-huit ans et demi, tu écriras au père : *Que penses-tu faire au sujet de mon argent ? Est-ce que je terminerai mes études sans en avoir vu le premier cent ? Toute cette année passée à suer sang et eau aura-t-elle été pour rien ? Tu as suggéré que les dix dollars par semaine de ta contribution à Sarah Lawrence soient comptés comme remboursement de mon prêt – mais, si je ne t'avais rien prêté, n'aurais-tu pas quand même réussi à grappiller ces dix dollars hebdomadaires ? Excuse-moi, je sais que la* dernière chose dont tu as besoin c'est d'être asticoté au sujet de tes responsabilités financières... Je commence sans doute à être un peu tendue car, à mesure qu'approche la date cruciale de la lettre de Sarah Lawrence, j'entends dire de plus en plus souvent qu'ils sont obligés d'être radins...

La sculptrice américaine Anne Truitt (née en 1921) avait commencé ses études supérieures à Bryn Mawr. Comme Sarah Lawrence, Bryn Mawr fait partie des Sept Sœurs, ces petites facs sélectives de la côte est qui sont, pour les jeunes filles, l'équivalent de l'Ivy League pour les jeunes gens.

Truitt écrit dans son *Livre des jours* : "[Ma mère] ne m'a trahie qu'une fois. À l'automne 1939, alors que j'attendais tranquillement de retourner à Bryn Mawr afin de recommencer l'année qu'avait interrompue une grave crise d'appendicite, elle m'invita à faire une promenade. Alors que nous tournions le coin tout près de la maison, elle lâcha le morceau : comme mes sœurs jumelles avaient besoin d'être éduquées, elle ne pouvait m'envoyer à Bryn Mawr. Elle m'avait donc inscrite à l'université de Duke. Je me rappelle être restée clouée au milieu de la rue, sidérée. Je n'arrivais tout simplement pas à intégrer le fait qu'elle m'avait dérobé de façon si cavalière ce que je savais être mon salut, à savoir l'opportunité d'excellence*."

À dix-huit ans, à la différence de Truitt, tu ne pouvais rien faire valoir au sujet de l'opportunité d'excellence, car c'était là, selon la philosophie paternelle, un concept tabou. Seuls des snobs pouvaient croire qu'il était réellement, objectivement préférable d'aller à Sarah Lawrence qu'à l'université publique du Bronx. Et le père ne voulait pas que tu sois snob.

Truitt : "Par miracle, vingt-quatre heures plus tard, une lettre est arrivée de Bryn Mawr : on me décernait une bourse couvrant la totalité de mes frais de scolarité."

Le même miracle transformera ta vie à toi, Dorrit. À l'automne 1972, tu entreras à Sarah Lawrence avec une bourse généreuse. L'année suivante, tu profiteras de leur programme d'études à l'étranger pour passer quelques trimestres à Paris, et ce déplacement-là infléchira ton destin à jamais.

Des décennies après, lorsque le père, septuagénaire, malade, s'égarera par moments dans des bouffées délirantes, tu apprendras que sa sérénité sociale était feinte.

Un jour de l'automne 2008, dans la petite ville du New Hampshire où il habite, il t'expliquera pourquoi il a cessé de participer à un groupe de discussion dont il avait été l'un des piliers. "Je sentais que j'avais été peu à peu exclu du groupe. Tous les autres membres sont diplômés des universités Ivy League et se vantent d'avoir des revenus élevés, un patrimoine mirobolant ; la plupart peuvent retracer leur généalogie jusqu'au XVIIᵉ siècle. Ils ont débarqué aux États-Unis avec le sentiment de leur droit divin de s'approprier ces terres et de s'y installer. Ils ont tout acheté. Leurs titres de propriété n'ont fait que prendre de la valeur au fil des années – pour eux, c'est facile de s'enrichir ! Ils ont du pouvoir à tous les niveaux. La vérité, c'est qu'ils dirigent le pays et peuvent te rendre la vie impossible. Les pères comme moi, aux revenus médiocres, incapables d'envoyer leurs enfants dans de bonnes écoles, ternissent l'image de la ville."

Il prononcera ces phrases d'une voix calme, en te regardant droit dans les yeux. Alors que ses six enfants ont terminé leurs études depuis belle lurette, le remords de n'avoir pu les envoyer dans les écoles Ivy League le dévore encore. C'est ainsi, Dorrit, en quelque sorte à la dernière minute, que tu saisiras enfin la peur où vivait le père, sans doute depuis sa jeunesse, à l'insu de tous, même de son épouse, d'être méprisé pour ses origines modestes.

N'avoir pas d'argent est une humiliation. N'empêche : la fiction paternelle – sa philosophie selon
laquelle les pauvres ont autant droit à la culture que
les riches – a eu de beaux effets dans le réel. Tout
comme Rodriguez, le chanteur portoricain du film
Sugar Man, le père apprendra à ses enfants que savoir
et culture font partie de leur héritage en tant qu'êtres
humains, et qu'ils ont autant le droit que n'importe
qui de pénétrer dans les musées, les bibliothèques
et les opéras du monde entier. Tu ne t'en priveras
pas, Dorrit.

À bien des égards, malgré sa dépression et ses per-
pétuels soucis d'argent, Kenneth sera un père merveilleux. Proche et attentif avec tous ses enfants. Très
à l'écoute – oui, au moins aussi doué pour écouter
que pour parler. Discuter avec lui te sera toujours
une joie : vous parlerez maths et philosophie, politique et économie, géographie et écologie.

Bien sûr, tu seras un peu amoureuse de lui.

En 2003, à l'approche de tes cinquante ans, t'estimant sans doute un peu trop coupée de tes racines, ta tante Beatrice, sœur cadette de la mère, te fera deux cadeaux précieux.

Premièrement, une petite boîte rectangulaire avec le mot *Quill* (Plume) sur le couvercle, contenant deux stylos dorés, gravés du nom de son père, ton grand-père maternel, en remerciement de cinquante années (1938-1988) de bons et loyaux services.

Deuxièmement, une lettre écrite par ce même grand-père, en juillet 1968, à sa mère depuis longtemps décédée. Sur le post-it bleu agrafé à la copie carbone de cette lettre, ta tante Beatrice précise que son père *aimait les mots*.

En d'autres termes, petite Dorrit, tu as de qui tenir.

Le fils du bon à rien, alors âgé de soixante-quatre ans, venait d'assister à une foire agricole. Sa lettre est tapuscrite, à peu près sans coquille. Il a aligné entre les différentes parties, toujours au même endroit de la page, exactement vingt et un astérisques.

À ton avis, Dorrit, un romancier pourrait-il inventer une lettre pareille ?

Chère Mamma,

Il me semble qu'à l'époque de mon enfance et de ma jeunesse, on ne l'appelait jamais le Premier Juillet. Non, il me semble qu'autrefois, on appelait ça le Jour de la fête du Dominion — ce qui le mettait à l'écart de tous les "Premiers"... tout comme "Noël" ou "le Nouvel An" mettaient ces jours-là à l'écart, et leur conféraient une belle autonomie. Aucun doute, ces Jours de la fête du Dominion méritaient un tel traitement. On les planifiait longtemps à l'avance et, quand arrivait enfin le Grand Jour, c'est dans un état de fébrilité que l'on revêtait nos plus beaux atours, enfournait le déjeuner dans des boîtes à chaussures, et attelait la Democrat[1] pour le voyage

1. Nom familier d'une voiture tirée par les chevaux, à cette époque (vers 1910-1915) où les automobiles étaient encore bien rares.

interminable jusqu'au lac des Chênes – groupe familial joyeux, épanoui et plein d'attente heureuse – tous
si beaux de corps et de visage que l'on devait faire pâlir
d'envie tous ceux qui nous regardaient. Puis commen-
çaient les plaisirs somptueux de la journée : papotages
avec les voisins, examen du bétail, dîner pique-nique
sous les arbres (il faisait toujours très chaud ce Jour-
là), glaces dont, ni avant ni depuis, on n'a goûté de
plus délicieuses, ensuite la Tribune (quand, du moins,
on pouvait se l'offrir, c'est-à-dire pas tous les ans si mes
souvenirs sont bons), et enfin, comblés, le chemin de
retour derrière nos loyales montures.

Ton grand-père raconte ensuite à sa mère morte qu'en se rendant, cette année-là, dans une foire appelée "L'Ère des pionniers", il était tout émoustillé à l'idée qu'il aurait peut-être la chance de voir une locomotive de la marque Reeves, comme celle qu'avait sporadiquement conduite son père.

Nous y sommes allés très tranquillement le samedi, avons passé le dimanche sur place (les deux pour accorder son dû au Temps, ce Grand Chef qui finit par nous mettre tous au pas) ; ainsi étions-nous prêts pour le Grand Jour. Cela a commencé avec un défilé et, sachant qu'il y aurait des Locomotives, je nous ai choisi des places tout en haut de la colline. Sans doute y a-t-il eu d'abord une Fanfare et des majorettes, mais mon attention n'était pas dirigée vers elles. Je cherchais des yeux un certain objet...

Enfin je l'ai vu surgir, et en quatre exemplaires. Deux par deux, côte à côte : quatre survivants du passé, quatre locomotives ! Leurs engrenages grinçaient, leurs vieilles chaînes cliquetaient, elles tanguaient un peu de çà, de là, comme je les avais toujours vues faire, la vapeur sortait en sifflant de leurs articulations déglinguées et passait le long de leurs bielles antiques ; et il y avait l'odeur que dégageait l'eau bouillante en glissant sur leurs carapaces enduites d'huile. Vint alors l'instant que je guettais entre tous : la montée de la colline. Comme tous les moteurs, une locomotive dispose d'un pot d'échappement, mais son bruit est doux : chouf chouf, chouf chouf, chouf chouf, chouf chouf. *En mordant dans la résistance qu'offrait la colline, les vieilles voix se sont transformées — comme je l'avais espéré, comme j'avais su qu'elles le feraient. Le* chouf chouf *s'est fait un peu plus fort, plus nettement découpé, sifflotant cet air de détermination que chantait à mes oreilles enfantines, il y a de longues années de cela, la vieille Reeves. Mais aucune d'entre elles n'était une Reeves.*

Il sera bouleversé de tomber, sur la fameuse loco-motive un peu plus tard, dans une autre partie de la foire. La Reeves est sa petite madeleine :

Nous l'avons approchée de façon nonchalante mais je tremblais intérieurement, redoutant les instants à venir. Je l'ai jaugée assez effrontément, et chaque coup d'œil rafraîchissait dans mon esprit un détail jadis connu, aujourd'hui oublié. Ayant réussi à m'appro-prier l'oreille du conducteur, je lui ai demandé, d'un air détaché, si elle possédait un sifflet. J'ai réussi à dire : "Est-ce que je pourrais..." avant de m'étrangler. Grim-pant jusqu'à la corde, comme papa le faisait autrefois, il lui a imprimé deux brèves secousses, tout comme le faisait papa — et les notes sublimes ont résonné dans l'air, tout comme elles le faisaient, comme elles seules pouvaient le faire, quand j'étais gamin. Alors est arrivé le flot de larmes ; me détournant de la foule du mieux que je pouvais, je suis venu tout près de la locomotive à la recherche d'une forme de solitude — et là, cédant entièrement à la violence de l'émotion, me suis mis à trembler et à sangloter.

Comment ne pas songer à l'histoire de la petite locomotive bleue, que le père vous a si souvent racontée,
à toi et à tes frère et sœur petits, et dont la moralité vous a durablement marqués? Le père savait-il
que, jeune, son beau-père avait conduit une Reeves? Est-ce pour cela qu'il racontait si bien cette
histoire?

Il faut faire passer un train de marchandises de
l'autre côté d'une haute colline. On demande à de
grosses locomotives de faire le travail, mais toutes
trouvent des excuses et se défilent. Pour finir, on
vient chercher la petite locomotive bleue – qui,
elle, flattée, intimidée, veut bien tenter le coup.
On l'attache au train et elle commence à grimper
la colline en soufflant tout bas Je-*pense*-que-j'peux,
Je-*pense*-que-j'peux, l'équivalent du *chouf chouf* de
ton grand-père, citons à nouveau sa belle phrase:
"En mordant dans la résistance qu'offre la colline",
la petite locomotive ralentit, ralentit car la pente est
raide. Je… *pense*… que… j'peux… Je… *pense*…
que… j'peux… Tu le vivais à chaque fois avec elle…
Voilà que, transpirante et haletante, la petite locomotive si courageuse arrive enfin au col et – ô, allé-
gresse! ô, soulagement! – se met à glisser sur les rails

de la descente en répétant à toute vitesse – Je-pen-sais-bien, Je-pensais-bien, Je-pensais-bien!

Extase des trois enfants (votre père vous chatouillait-il en plus, pour que vous piailliez ainsi?). Effort récompensé, leçon apprise, bien mieux par cette histoire que par un précepte ou un proverbe, asséné à l'école ou à l'église.

Mais, deuxième leçon : hantise de l'échec. Mon Dieu : si la locomotive calait ! si le train, sans personne aux manettes, se mettait à glisser en arrière ! Dégringolade, chaos, catastrophe...

Dans combien de cauchemars au long des années, Dorrit, en voiture ou dans un manège genre montagne russe, t'es-tu trouvée devant une descente abrupte, une chute presque à la verticale... glacée de peur à l'idée d'y dégringoler sans pouvoir contrôler ta chute...

Oui cette terreur de l'abîme...

Lettre du père, décembre 1999 :

Chère toi, à la fois mère geignarde-gentille-géné-reuse et auteur sauvagement honnête, TU ES MAIN-TENANT AUX COMMANDES ! La petite locomotive qui pensait qu'elle pouvait a réussi ! Elle a tiré tout le train, y compris la voiture à bagages si lourdement chargée, jusqu'en haut d'une longue colline. PROFITE DE LA BELLE VUE ! Amuse-toi bien et surtout, prends du plaisir en descendant tranquillement de l'autre côté – Alerte rouge ! Alerte verte !

Soulignons que la mère a grandi avec un couple parental incroyablement mal assorti, son père le fils du bon à rien barjo et sa mère la fille du magistrat qui l'a fait interner. Un peu plus âgée que son mari, ta mamie faisait l'impossible pour convaincre celui-ci d'adopter des manières plus guindées et polies et conformistes, mais ton papi passait son temps à freiner, à regimber et à se moquer (tiens! à bien y réfléchir, Alison allait jeter son dévolu sur un jeune homme qui avait plus d'un trait en commun avec son père). Ayant grandi, lui, au milieu de la pauvreté et de la folie, ton grand-père avait zéro envie de faire semblant d'être riche et comme-il-faut ; l'aurait-il fait, sans doute l'eût-il vécu comme une trahison de ses parents bien-aimés.

Notre enfance fut bonne, écrira-t-il en clôture de la lettre à sa mère morte, *mais entrecoupée de détresses très sévères. C'est le bonheur de cette époque qui nous donne envie d'y retourner ; ce sont les détresses qui nous donnent envie de pleurer. Et je me rappelle si vivement les tortures que tu as endurées. J'ai vu ta souffrance, ton angoisse et ton chagrin. J'ai vu s'évanouir les possibilités d'un Père merveilleux, tout comme toi tu as vu s'évanouir celles d'un Époux. Et je me rappelle comme, toujours et pour toujours, au milieu de la tempête, tu as étendu tes ailes protectrices sur ta petite couvée, et lutté – bec et ongles, muscles et tendons – pour la nourrir et la protéger.*

On a tout notre temps, Dorrit. Rien ne presse, on arrivera bien au but.

Comme il te reste encore cinq mois à attendre et à angoisser dans le ventre d'Alison, autant poursuivre l'exploration des différentes branches et brindilles de ton arbre généalogique.

(Les gens te demanderont souvent pourquoi la famille est ton thème romanesque de prédilection, et tu les regarderas, perplexe. Y en a-t-il d'autres ? Y a-t-il quelque chose d'intéressant chez les humains, hormis le fait que, pour de bonnes ou de mauvaises raisons, intensifiées par des pulsions animales aussi inconscientes qu'irrésistibles, ils copulent, font des enfants, s'efforcent de donner à ceux-ci une éducation meilleure que celle qu'ils ont reçue, échouent, vieillissent et meurent après avoir regardé leurs enfants grandir et partir trouver leurs propres partenaires et démarrer leur propre famille comme s'ils allaient refaire le monde à neuf, tout cela sur fond de grincements de dents, de tourmentes politiques, de conflits religieux, de rivalités fraternelles, de scènes d'inceste et de viol et de meurtre et de guerre et de prostitution, émaillé çà et là par un pique-nique familial dans une foire agricole ? De quoi d'autre un roman pourrait-il bien parler ?)

Ton grand-père paternel s'est battu dans la Grande Guerre, a subi les effets des gaz moutarde et des gaz innervants, est revenu dans l'Ontario sans séquelle trop débilitante, s'est installé à Toronto, et a démarré ses études au séminaire. Tout ce qu'il lui reste à faire maintenant, c'est à croiser le chemin de la jeune anglicane distinguée, née dans l'île du Prince-Édouard.

Celle-ci, sautant par-dessus la province du Québec (catholique et française, donc à éviter si possible), est venue elle aussi dans l'Ontario pour étudier : l'anglais, probablement. (Quels auteurs figuraient dans son curriculum ? Byron ? Austen ? Houseman ? Shakespeare ?)

Ils se rencontrent, non dans les couloirs de l'université, mais à la patinoire. Les patinoires au Canada à cette époque sont comme les bals de la haute société de Vienne ou de Saint-Pétersbourg à la fin du XIXe siècle. Mêmes rituels de flirt : les filles ont une carte, les garçons doivent y inscrire leur nom et attendre leur tour.

À la mort du père, tu hériteras de la carte de patinoire de ta mamie pour ce jour de 1919 où elle était encore une grande jeune fille élancée aux joues rouges. À mesure que s'égrènent les heures, le nom de ton grand-père revient de plus en plus souvent sur sa liste de cavaliers. L'orphelin, fils du bûcheron sourd-muet et de la cuisinière aveugle, élevé par l'église méthodiste et étudiant maintenant pour devenir pasteur, doit être doué ou pour patiner ou pour palabrer.

Ou les deux, bien sûr.

Tes grands-parents se marient dans la chapelle de l'université.

Huit décennies plus tard, pour remercier cette même université du doctorat honorifique qu'elle vient de te décerner, tu feras un discours dans cette même chapelle. Coïncidence étrange, vu que tu as grandi à trois mille kilomètres à l'ouest et habites à quatre mille kilomètres à l'est de la chapelle en question.

… Des bribes, rien que des bribes. La carte de patinoire. La chapelle de l'université. En quelle année le jeune couple quitte-t-il l'Ontario pour l'Alberta ? Tu l'ignores. Tu pourrais certes te renseigner, mais ce serait artificiel ; ton ignorance fait partie du tableau.

Ils auront cinq enfants en tout : d'abord deux filles, puis trois garçons. L'enfant du milieu, premier fils du couple, naîtra avec une malformation cardiaque et décédera au bout de quelques jours. Kenneth est l'enfant conçu pour remplacer ce bébé mort. Il a deux sœurs aînées et une *mère aînée* ; dès le premier jour de sa vie, il sera manipulé par des femelles beaucoup plus puissantes que lui.

Décrire comme modeste le salaire que reçoit ton grand-père en tant que pasteur débutant serait une litote. En plus, nous voilà à la fin des années trente : la crise économique s'est abattue sur le pays, la province d'Alberta endure une sécheresse terrible ; le couple n'arrive pas à joindre les deux bouts. Quand ta mamie lui demande comment ils vont faire pour habiller leurs cinq enfants l'hiver prochain, ton papi a tendance à murmurer (car il aime profondément saint Matthieu) : "Considérez les lys, comme ils croissent ; ils ne travaillent ni ne filent", ce que sa femme considère comme une non-réponse.

Alors – démarche étonnante, pour une mère de famille nombreuse dans l'Ouest du Canada à la fin des années trente – ta grand-mère part à la recherche d'un emploi. Plus étonnant encore, elle en trouve ! Elle sera engagée comme professeur – d'anglais, sans doute. Hélas, le lycée qui l'engage est situé dans une autre ville, à deux heures de train de celle où est posté son mari.

Ton papi racontait souvent une blague au sujet des trains. Elle n'est vaguement drôle qu'en anglais.

Trois vieillards à moitié sourds voyagent ensemble ; leur train s'arrête dans une gare. "Sommes-nous à Wembley ?" demande le premier. L'autre, croyant avoir entendu *Wednesday* (mercredi), répond : "Non, nous sommes jeudi" *(Thursday)*. Le troisième, croyant avoir entendu *thirsty* (assoiffé), enchaîne : "Moi aussi, allons boire un coup !"

En la transcrivant, tu remarqueras pour la première fois que c'est une blague au sujet de malentendants, racontée par le fils d'un malentendant.

Ainsi, pour nourrir ses enfants, cette jeune mère les abandonnera. Elle partira en train chaque lundi matin tôt, pour ne rentrer que tard le vendredi soir. Ses enfants ne la verront plus que le week-end.

Cinq jours par semaine, en plus d'écrire ses sermons et de servir l'Église de mille manières, ton pauvre papi devra revêtir un tablier (impensable ou presque, pour un homme de l'époque! Imagine-t-on Cary Grant ou Humphrey Bogart en tablier?) et faire la cuisine pour sa marmaille.

Cela durera des années, sans doute tout au long de la guerre – période qui, dans la vie de Kenneth, coïncide avec celle, cruciale, de la préadolescence.

Kenneth est blessé de voir son propre père ainsi dévirilisé. Il se dit que jamais, au grand jamais, il ne se trouvera dans une situation pareille. Son épouse à lui se tiendra à carreau. Il sera le roi et le maître de son foyer ; elle, restera à la maison comme une femme normale. Elle l'inondera de sa tendresse et de son amour, le soutiendra dans ses ambitions spirituelles, l'aidera à réaliser ses rêves.

À la fin de cette période, Kenneth est déjà quasiment adulte et indépendant – car, élève brillant, il a sauté deux années à l'école. Il termine son lycée en juin 1946, à l'âge de seize ans, et l'université d'Edmonton lui est ouverte.

Pendant ce temps, Alison, née en 1931 soit un an après le père, grandit dans une série de petites villes du Manitoba puis de l'Alberta. Son père à elle, le fils du bon à rien devenu barjo, le gamin qui se levait à cinq heures du matin pour traire les vaches de la veuve Brown, gravira lentement les échelons de la respectabilité et de la solvabilité. Longtemps employé comme représentant pour une compagnie pétrolière, il finira directeur d'une petite succursale de banque. (Est-ce Standard Oil ou la banque Scotia qui lui offrit en 1988 les stylos plaqués or ?)

La mère d'Alison, au contraire, l'élégante ex-joueuse de tennis aux cheveux auburn, ayant échappé de justesse au statut de vieille fille, consacrera le reste de sa vie à son rôle d'épouse et de mère.

Le couple aura deux filles puis cessera de procréer. La vie sexuelle des grands-parents étant encore plus difficile à imaginer que celle des parents, on ne se demandera pas s'ils ont cessé de faire l'amour ou découvert une forme de contraception exceptionnellement efficace.

Année après année, ta douce petite mamie fera du jardinage, du nettoyage et du ménage, de la cuisine et des conserves, du balayage et de l'astiquage, de la couture et du repassage, en silence, en silence, en silence. Jamais elle ne chantera en travaillant. (Ni l'une ni l'autre de tes grands-mères ne chante, si ce n'est pendant l'office.) Le soir, elle s'adonnera parfois à un jeu de cartes avec des amis, chez les uns et les autres en alternance. Elle jouera avec sérieux et célérité, tout comme elle fait la gelée de pommes sauvages. Sans commentaire. Sans y prendre perceptiblement du plaisir.

À regarder sa mère parfaite vaquer ainsi à ses obligations quotidiennes, les lèvres serrées, réprimant toujours ses propres ambitions et talents, ta mère jurera de ne pas lui ressembler, plus tard. Jamais au grand jamais elle ne mettra les besoins et désirs des autres avant les siens. Pas d'altruisme pour elle ; non, pas question. Rien que joie et liberté, indépendance et aventure !

Voilà. Les éléments du drame sont en place.

Les limbes : lieu où vont après la mort, entre autres, les bébés non baptisés : fausses couches, avortons, mort-nés. Ils n'ont pas eu le temps de pécher et ne méritent pas l'enfer, mais ils n'ont pas eu non plus le temps de faire leurs preuves et ne peuvent donc être admis au paradis ; c'est pourquoi Dieu les flanque dans cet entre-deux : le purgatoire.

Mais quand le fait-Il ? Tout de suite après leur mort ? Et sinon, où vont-ils en attendant ? Dans les limbes des limbes ? Ils y flottent quelques millions d'années, on ne sait combien au juste… (Ça se passe *quand*, le Jugement dernier ?) Et après le Jugement dernier il y a encore un *deuxième* purgatoire pour ces âmes flottantes ? Sûrement que non, il faut bien que Dieu décide un jour ou l'autre ce qu'Il veut en faire. Comment le décidera-t-Il ? en jouant à pile ou face ? Face ils montent, pile ils descendent ?

Beckett dit aspirer à côtoyer, "dans des Limbes purgés de tout désir, les ombres des morts, des mortnés, des non-nés, de ceux qui jamais ne naîtront, enfin devenu pour lui-même un asile, dépris, indifférent, débarrassé de la misère de ses éréthismes et de ses jugements, de ses saillies futiles ; l'esprit soudain en sursis a cessé de servir d'annexe au corps trop remuant, l'éclat de la compréhension s'est éteint*".

Souvent, Dorrit, tu te diras la même chose. Que ton vrai chez toi c'est dans les limbes, avec les autres avortons. On t'a simplement ratée ; il est temps que tu ailles rejoindre ta destinée.

Pour Beckett, la bio n'est rien ; seule compte la graphie. "Je n'aurais pu, écrit-il, traverser cet affreux et lamentable gâchis qu'est la vie sans laisser une tache sur le silence." Comme lui, tu seras graphomane. Comme lui, tu abandonneras ta langue maternelle, la traiteras comme une langue morte, n'y reviendras que de longues années plus tard, essentiellement dans l'écrit. Comme Beckett aussi, tu auras des élans meurtriers à l'égard de tes propres idées naissantes. On conçoit…? Mais non, voyons. On zigouille.

À quarante-trois ans, tu écriras un hommage bilingue à Beckett, *Limbes / Limbo*, pour incarner ce court-circuit de la naissance à la mort. Ce "râle vagi*"…

— Mais n'y avait-il pas… à l'instant… une lueur ? un petit éclat de… ?
— Niet, noir. Fini. Foutu.
— J'étais sûre… peut-être pas un éclat mais… une étincelle ?
— Sang, pan, vlan. Clos. Caillot.
— Ça ne s'est pas ouvert, rien qu'un, comment ça s'appelle, une fente ? Un chouïa ?
— Claque, ombre. Sombre, mort, muet.
— Mais j'ai aperçu… comme un minuscule éclair… sinon un éclat, du moins… un frémissement, rose… quelque chose qui bougeait, scintillait, comme comme – un sourire, des gencives mouillées, ou bien…
— Marteau sur pouces. Frappant les ongles des doigts, l'un après l'autre. Là. Sourd. Gourd**.

Un jour, dans un essai, tu te moqueras gentiment de Beckett qui prétend se rappeler parfaitement sa vie intra-utérine. "Je me sentais coincé, dit-il, j'étais emprisonné et incapable de m'échapper, je pleurais pour qu'on me laisse sortir mais personne n'entendait, personne n'écoutait. Je me rappelle que je souffrais mais sans pouvoir soulager cette souffrance d'aucune manière*."

"On ose à peine objecter, commenteras-tu (tout en osant largement), que cette image terrible est forcément une reconstruction après-coup, dans la mesure où, n'étant pas encore un « je », un fœtus de neuf mois est incapable de « se » percevoir comme coincé. Pas plus qu'il ne peut pleurer ni s'étouffer car, pour s'adonner à ces activités, il faut respirer ; or les poumons d'un fœtus sont encore inertes ; son oxygène lui vient du sang dans le cordon ombilical**."

Ce passage fera bondir S., une de tes chères amies.

Bien sûr, t'écrira-t-elle, je n'aurais pas dû lire [ton livre] hier et aujourd'hui, mais quand aurait-ce été le bon moment? Jamais. Jamais je ne veux qu'on me dise qu'un fœtus n'entend rien, ne sent rien parce que ses poumons n'existent pas et que ses oreilles sont bouchées par le mucus, et ce refus s'appuiera évidemment sur une raison très personnelle, très très intime : je n'ai mis que cinquante ans à découvrir que ma mère avait tenté par tous les moyens de se débarrasser de ce fœtus sans poumons qui n'avait pas de "je" mais qui est devenu par la suite ce corps rejouant sans cesse la scène ridicule, n'est-ce pas, de ces tentatives dont il ne "savait" rien. Donc d'une part, ce corps, et d'autre part, le désir, le désir de ma mère que j'aime et que j'adore, eh bien, oui, combler ce désir premier, est-ce que tu peux comprendre que je ne peux pas entendre ce que tu dis au sujet de "HA! HA! Il croit qu'on respire dans l'utérus?" quand il faut un demi-siècle pour faire cesser l'enregistrement du corps qui se vomit et s'évacue lui-même une fois par année pour obéir à l'enregistrement indélébile du désir premier?

Combler ce désir premier, cela veut dire s'enlever la vie. Vouloir mourir. Essayer de mourir, de disparaître, de n'être pas là. Pour faire plaisir à une personne que l'on aime — sa mère.

Vous étiez toutes deux promises à la mort, S. et toi, Dorrit. (Beckett aussi, peut-être.) Sauf qu'à toi, un demi-siècle ne suffira pas pour l'admettre. Il t'en faudra un peu plus.

Comme Beckett, tu quitteras ta mère patrie et feras semblant d'appartenir à une autre. Tu ne seras ni d'ici ni de là, mais de l'entre-deux c'est-à-dire de nulle part, assignée aux limbes à perpétuité. Vu que la vie dans les limbes est une punition, tu te sentiras coupable, auras l'impression d'avoir commis un meurtre.

Et ce n'est pas faux. Ta victime, c'est la femme que tu aurais dû devenir. Tu l'assassineras, à l'âge de vingt ans, puis tu passeras ton temps à mentir pour dissimuler ton crime. Le fait de t'être installée dans une langue et un pays étrangers t'obligera à mentir au long de ta vie adulte, tout comme tu as menti au long de l'enfance. Tu feras semblant que ton pays d'adoption est ton pays, et sa langue ta langue – de même que, dans l'enfance, tu as fait semblant que ta belle-mère était ta mère.

Ayant renié la mère, il te sera facile de renier la mère patrie. Tout ce que tu diras sera frappé du sceau de la fausseté, de la duplicité. Menteuse et traîtresse, tu mériteras la peine de mort. Ah! enfin tu comprendras le pourquoi de cette sentence.

Un enfant qui pense que sa mère a voulu le tuer peut quitter son pays et sa langue pour comprendre enfin pourquoi il mérite la mort.

Toujours là, petite Dorrit? toujours en vie? C'est vraiment admirable comme tu t'accroches.

Pendant que l'on esquissait ces maigres portraits de tes aïeuls, les semaines ont continué de s'écouler. Ton cœur bat désormais à grands coups, tes membres ont poussé aux bons endroits, et tu commences à approcher ton poids de naissance...

Ne t'en fais pas, tu auras bientôt le droit de naître ; encore quelques dizaines de pages et ce sera le moment. En attendant, regardons d'un peu plus près ces gamins zinzins qui sont destinés à devenir tes parents.

Tous deux sont des surdoués de la performance scolaire et de la langue verte. Ils ont hérité de leur famille et de leur milieu de solides règles de conduite liées à l'éthique protestante, et ils adorent les transgresser. Ils ont appris à jouer au cribbage et au bridge, mais préfèrent le poker. Ils tirent des plans sur la comète.

Tout ce à quoi leurs propres parents ont dû renoncer pour atteindre à un niveau de vie dépassant la simple subsistance – célébrité, amusement, fantaisie –, ils le désirent avec ardeur.

Commençons par Kenneth.

Partout sur la Terre, les garçons sont des garçons – mais, naturellement, ils doivent trouver le *moyen* de l'être ; or ces moyens varient selon le contexte. Kenneth n'a ni moto ni flingue. Il vit très à l'ouest d'Eden, dans le petit village albertain de Fort McLeod, pas loin de la frontière américaine. À quarante ans, ses parents sont déjà vieux. Pasteur et épouse de pasteur, ils sont obligés d'être respectables et conformistes. Et, progéniture du pasteur, leurs quatre enfants sont censés donner l'exemple en tout…

Kenneth prend la religion au sérieux mais, à l'instar de Galilée quelques siècles plus tôt, est persuadé que Dieu ne l'aurait pas doté d'un cerveau si agile s'Il n'avait pas voulu qu'il s'en serve, y compris pour mettre en cause les dogmes religieux.

Idem pour le corps. Un corps de jeune garçon, musclé, nerveux, énergique, tout vibrant de testostérone, n'est pas fait pour rester immobile sur les bancs de l'église ou de l'école ; il est fait pour courir, grimper, sauter, exulter, explorer. L'inconnu est si passionnant ! et le besoin de bouger, si puissant !

À l'approche de l'adolescence, Kenneth commence donc à prendre des risques. Trois histoires à ce sujet jalonnent sa jeunesse. À la lumière de ces histoires, il n'est pas facile de dire si ce garçon était exceptionnellement exubérant... ou suicidaire.

À l'âge de huit ou dix ans, il escalade un poteau télé-graphique, irrésistiblement attiré par sa verticalité, chose rare dans le paysage désespérément horizontal du Sud de l'Alberta. Arrivé tout en haut – mis au défi, peut-être, par l'ami qui l'accompagne –, il tend une main et… frôle l'épais câble électrique.

Cette image te donnera un frisson violent chaque fois que tu y penseras – comme si l'enfant en question n'était pas ton père mais ton fils, et pouvait se faire électrocuter à nouveau. Quand, en octobre 2005, deux gamins d'une banlieue pauvre de Paris se feront électrocuter dans un transformateur EDF, tu reverras ton père vers 1938, se hissant jusqu'en haut de ce poteau télégraphique albertain pour en toucher le câble.

Rien ne se produit. Le câble doit être bien isolé. Mais cet événement le marquera suffisamment pour qu'il te le raconte deux décennies plus tard ; il pensait donc que quelque chose *pouvait* se produire. Au moins brièvement, il avait envisagé la possibilité que son petit corps maigre et noueux puisse se convulser et se figer en un arc électrique, grésillant de douleur, le système nerveux carbonisé. Et il l'avait fait quand même…

… puis reglissé jusqu'au sol. Exalté, les yeux brillant de fierté incrédule : *Je l'ai fait!*

La deuxième histoire date de quelques années plus tard. Âgé de douze ou treize ans, Kenneth vivait toujours à Fort McLeod, où l'habitat était dispersé et les voitures rares. Souvent, pour traverser plus rapidement les kilomètres de prairie plate et monotone, il prenait un train en marche. C'est un talent que maîtrisent tôt ou tard tous les garçons des prairies : ils sautent sur les trains un peu comme les gamins des villes du Tiers-Monde sautent sur des tramways ou des bus.

Mais un jour il y a eu un hic, tu ne sauras jamais lequel. Peut-être qu'au lieu d'un vieux train de marchandises tout délabré, Kenneth a sauté par erreur sur un train de voyageurs et le contrôleur lui a demandé ce qu'il foutait là et il a décidé de redescendre illico. Toujours est-il qu'il a raté son coup : au moment de descendre, au lieu de sauter en courant le long du train puis de décélérer lentement, ses jambes ont subi de plein fouet le choc de l'arrêt. Déséquilibré, il est tombé sur le menton et a perdu connaissance. Le voyant couché immobile dans le fossé, ses amis ont dû le croire mort.

L'histoire s'interrompt à cet endroit, comme si nous étions KO, nous aussi. Dans l'image suivante,

Kenneth préadolescent se réveille le soir à l'hôpital. D'après la légende, il supplie les médecins de retourner sur le lieu de l'accident et de passer au peigne fin les hautes herbes dans le fossé – car, en tombant, il a sectionné le bout de sa langue. Et en effet le précieux morceau de chair sera retrouvé, soigneusement enveloppé dans un mouchoir et rapporté à l'hôpital, où il sera recousu. Les points de suture disparaîtront avec le temps, mais les papilles au bout de la langue paternelle ne se réveilleront plus. Kenneth trouvera, dans son incapacité à dire si un plat est trop ou pas assez salé, un bon prétexte pour ne jamais faire la cuisine.

La troisième histoire est de loin la pire. Tu ne l'apprendras qu'après la mort de Kenneth – mais alors, tragiquement *peu* après, au milieu des émotions tumultueuses suscitées par celle-ci, c'est-à-dire à ses obsèques.

Âgé de dix-sept ans, il rentrait ce jour-là de l'université d'Edmonton. Son logement étant assez loin du campus, il devait traverser matin et soir une bonne partie de la ville. Or la rivière Saskatchewan Nord autour de laquelle est bâtie la ville d'Edmonton est enjambée par trois ponts : le Low Level, le High Level et le McDonald. Le Low Level est large, ouvert et agréable ; le McDonald bourdonne de façon singulière sous les pneus des voitures (toute une vie plus tard, tu sauras encore chanter la note de ce bourdonnement) ; quant au High Level, construit pour supporter tous les types de transport urbain, c'est un pont à deux niveaux, un pour les trains, l'autre pour les voitures et les tramways. Sa cage de fer lance des ombres coupantes dans la voiture qui le traverse et, au-dessus, le fracas des trains est assourdissant, effrayant ; il vous secoue et vous pénètre.

Apprendre, aux funérailles de Kenneth, l'histoire de l'accident qu'il a eu sur le pont High Level six ans avant ta naissance aura sur toi, Dorrit, un impact énorme. Elle tordra et gauchira en toi l'image du père, transformant radicalement le paysage de ton passé et envoyant des ondes de choc vers l'avenir. (Daniel Kahneman : "Même des événements qui changent l'histoire de personnes déjà mortes peuvent nous émouvoir profondément*.")

Ce jour-là, Kenneth doit être de disposition ou spécialement paresseuse ou spécialement téméraire. En rentrant à pied de ses cours à l'université, il voit un train qui se dirige vers son quartier, et, ressuscitant son vieux savoir de gamin-des-prairies, saute sur le train en marche. Manque de pot : au lieu de continuer tout droit, le train se déroute vers le High Level. Kenneth se dit qu'il ralentira forcément à l'approche du pont, lui donnant le temps d'en descendre, mais à sa consternation c'est le contraire qui se produit ; le train accélère. Le jeune homme fait alors une chose aussi insensée que frôler de sa main nue le câble électrique : quand le train arrive au milieu du pont, il saute.

Chute libre, sur cinq mètres.

Dieu doit vraiment veiller sur lui ce jour-là, car il atterrit sur les rails du tramway, c'est-à-dire… *entre* les voies où les voitures filent dans les deux sens à toute vitesse.

À nouveau il perd connaissance. À nouveau il y a un hiatus dans l'histoire, entre le moment de l'impact et celui de son réveil à l'hôpital.

La personne qui raconte cette histoire aux obsèques de Kenneth, c'est ta tante Constance, une de ses sœurs aînées.

Au moment du saut fatidique, Constance était étudiante en médecine, également à l'université d'Edmonton. Informée la première de l'accident, elle s'est précipitée à l'hôpital. Le jeune homme, dit-elle, s'était littéralement cassé la figure sur les rails du tramway. Des éclats de bois et de métal, dit-elle, s'étaient enfoncés profondément dans la chair de son nez, de son menton et de ses joues. Son visage était violacé, dit-elle, et avait enflé jusqu'à deux fois sa taille normale.

"Je ne l'ai pas reconnu", dit-elle.

Il te semblera souvent, Dorrit, que ta tante Constance, femme passionnément religieuse ayant préservé sa virginité pour Jésus et passé la totalité de sa vie adulte à travailler comme médecin missionnaire à l'autre bout du monde, éprouvait un plaisir pervers à décrire, à l'intention des Canadiens blancs protestants à la vie tranquille, des horreurs médicales qu'elle avait croisées dans les pays miséreux.

Tu n'oublieras jamais son évocation des lépreux s'acharnant sur une clef bloquée dans une serrure : comme l'engourdissement neurologique de la maladie les empêche de sentir la douleur, ils peuvent insister de longues minutes avant de voir que le métal de la clef s'est enfoncé dans la chair pourrissante de leurs doigts, parfois jusqu'à l'os.

Ou ces femmes qui se traînent le long des chemins de montagne, ayant entendu dire que, dans l'hôpital que ta tante a fait construire dans la brousse, l'on soigne la maladie de la fistule.

À la suite d'un accouchement, expliquait ensuite Constance pour le bénéfice de ceux qui auraient ignoré la nature de cette maladie des pays pauvres, il est fréquent qu'un trou se forme dans la paroi entre organes génitaux et vessie ou rectum. L'urine et les excréments s'écoulent alors par le vagin, provoquant non seulement des douleurs atroces mais des odeurs épouvantables, de sorte qu'au lieu de soigner ces femmes, on les fuit.

Oui, tu auras l'impression que la tante Constance se délecte, quelque peu, de voir son auditoire frémir à l'évocation de ces détails.

N'empêche : tu l'imiteras plus tard, dans tes romans.

Aux obsèques, Constance ajoutera que, des mois après sa chute spectaculaire sur le pont High Level, Kenneth se plaignait encore de migraines, de problèmes de sinus et de confusion mentale.

Quand elle a eu terminé son récit et repris sa place sur les bancs de l'église, tu étais en état de choc.

Jamais, Dorrit, tu ne connaîtras un père libre de ces trois symptômes : migraines, problèmes de sinus, confusion mentale. Un père fonctionnant bien, à la hauteur de ses capacités, talents et espoirs. Et tu te demanderas si, ce fameux jour où, à dix-sept ans, il a sauté du train sur le pont High Level, il n'a pas altéré sa capacité de réfléchir. S'il n'a pas subi, en d'autres termes, une lésion cérébrale.

Dans son essai *L'Erreur de Descartes,* le neurologue américain Antonio Damasio raconte l'histoire de Phineas Gage, cas célèbre dans les annales de la neurologie.

En 1848, ce jeune contremaître dirige des opérations de dynamitage pour la construction du chemin de fer dans le Vermont, quand se produit un accident hors norme : projetée à grande vitesse, une barre de fer pointue mesurant plus d'un mètre et pesant six kilos pénètre sa joue gauche, transperce la base de son crâne, traverse le devant de son cerveau et jaillit du sommet de sa tête.

Or non seulement Gage ne meurt pas, mais il ne perd même pas connaissance.

Certes il tombe à la renverse et il est sérieusement secoué par l'incident, mais au bout de quelques minutes il se remet à parler — et même, avec l'aide de ses hommes, à marcher. Moins de deux mois plus tard, après avoir fait l'objet d'excellents soins médicaux à l'hôpital de la ville voisine, il est déclaré guéri.

Mais ce n'est pas le même homme. Il a perdu, constate le Dr John Harlow qui s'occupe de son cas, "l'équilibre entre la faculté intellectuelle et les propensions animales*". Jusque-là, Gage avait été un homme fiable, solide et efficace ; il est devenu capricieux, irrévérent, irrespectueux et indécis. Par moments, il débite des torrents d'obscénités. Le changement de personnalité est si radical que ses amis ne le reconnaissent pas.

En un mot, il a perdu la capacité de *gérer son existence de façon appropriée.*

En ce milieu du XIXᵉ siècle où la phrénologie fait fureur, tous les neurologues européens et américains se passionnent pour le cas. "L'exemple de Gage, écrit Damasio, indiquait qu'une région du cerveau était dévolue aux traits spécifiquement humains, dont la capacité de planifier l'avenir et de faire des projets en fonction d'un environnement social complexe ; le sentiment de responsabilité envers soi et les autres ; et la capacité d'orchestrer délibérément sa survie en exerçant son libre arbitre."

Toutes les années où tu le connaîtras, Dorrit, Kenneth aura du mal à prévoir l'avenir, sera sujet à de violents accès de colère, et racontera des blagues grivoises dans des situations inappropriées (par exemple à ses propres enfants ou petits-enfants).

"Ce sont des lésions sélectives des cortex préfrontaux du cerveau de Phineas Gage qui ont endommagé sa capacité de planifier l'avenir, de se conduire selon les règles sociales qu'il maîtrisait précédemment, et de choisir le cours d'action qui favoriserait le mieux sa survie à long terme."

Certes, chez Kenneth, ces défauts seront moins prononcés que chez Gage. Peut-on avoir une *toute petite* lésion des cortex préfrontaux?

Lui à qui tout avait été facile, premier de sa classe depuis l'école maternelle, surdoué en maths comme on peut l'être en musique, comme s'il était né connaissant et comprenant les opérations de base, lui à qui, te dira-t-il, Dieu semblait avoir personnellement confié la mission de traduire en équations élégantes la beauté de la nature, de révéler l'accord profond entre physique et métaphysique... trouvera le moyen, à vingt ans, de rater son examen de statistiques.

Résultat de cet échec (cela s'est passé trois ans avant ta naissance, même si tu ne l'apprendras qu'après sa mort) : Kenneth se verra refuser l'entrée tant convoitée, bourse en main, à Cornell une université Ivy League dans l'État de New York.

Le fameux credo paternel *Peu importe l'université à laquelle on étudie* prend brutalement un autre sens.

Un patient de Damasio, sorte de Phineas Gage contemporain qu'il nomme "Elliot", souffre d'un méningiome : tumeur au cerveau qui, même si elle est bénigne, comprime ses lobes frontaux.

"Elliot avait été bon mari et bon père, il avait un excellent emploi dans une entreprise, était un modèle pour ses frères et ses collègues. Tant du point de vue personnel que professionnel ou social, il avait atteint un statut tout à fait enviable. Mais sa vie se délita. Il souffrait de maux de tête sévères et n'arrivait bientôt plus à se concentrer. À mesure que son état empirait, il semblait perdre tout sens de responsabilité, et son travail devait être complété ou corrigé par d'autres."

Un des symptômes que manifeste Elliot, à la suite de l'apparition de son méningiome, est admirablement résumé par le proverbe *c'est l'arbre qui cache la forêt*.

"On pourrait dire, explique Damasio, qu'Elliot était devenu irrationnel en ce qui concernait le cadre de comportement plus large, qui avait trait à sa priorité principale, tandis qu'à l'intérieur des cadres de comportement plus petits, en rapport avec des tâches subsidiaires, ses actions étaient excessivement détaillées."

Il "était encore en forme physiquement et la plupart de ses fonctions mentales étaient intactes. Mais sa capacité de prendre des décisions était très atteinte, de même que sa capacité de planifier efficacement son avenir immédiat, pour ne rien dire de son avenir à long terme".

C'est terrible d'avoir pour père un homme accablé de ce syndrome-là. Un homme qui ne peut compter sur sa capacité de mener à bien ses propres projets, serait-ce pour l'après-midi.

Tu verras Kenneth à soixante-dix ans, les mains et la bouche violettes à force de trier des myrtilles, de les faire bouillir, de les écraser, d'en faire passer le jus par une passoire... Bien sûr, pourquoi ne pas essayer de faire une confiture aux myrtilles, tout seul, sans conseils ni recette, au beau milieu d'une matinée ensoleillée du mois d'août ? Initiative sympathique... si, du moins, ça ne le faisait pas pester, trépigner, transpirer à grosses gouttes et répandre l'angoisse dans toute la maison. Et si, pendant ce temps, trois ou quatre de ses petits-enfants ne l'attendaient pas pour une sortie promise.

Tu verras Kenneth à quarante-cinq ans, dans une cabane au Canada, faire attendre une bande d'amis à toi, désireux (puis impatients) de jouer au poker... juste le temps... qu'il calcule... avec crayon et papier... la probabilité statistique respective d'un flush royal et d'un carré d'as. L'attente dure plus d'une heure. Les autres joueurs passent de l'agacement à la frustration, puis à l'incompréhension.

Tu verras Kenneth à trente ans, la tête recouverte d'une serviette, penché la soirée durant sur un bol fumant aux odeurs d'eucalyptus, parce que ses sinus lui font mal.

Tu verras Kenneth à tous les âges, s'arracher les cheveux en essayant de calculer ses impôts (systématiquement en retard). Il étalera ses papiers dans la salle à manger, tant est effroyable le désordre qui règne dans son bureau.

Soulageante, donc, quelque part, l'hypothèse d'une lésion cérébrale.

Mais cette hypothèse ne fait que repousser le problème d'un cran. Car au fond, *que diable est-il allé faire dans cette galère ?* Pourquoi a-t-il sauté sur, et ensuite de, ce fameux train ? Cet acte ne suggère-t-il pas qu'à dix-sept ans déjà, Kenneth souffrait d'une légère incapacité à prévoir l'avenir ?

La question reste entière.

À la mort de Kenneth, presque tous ses papiers, pourris d'humidité, rongés par des souris dans la cave, seront détruits. Quelques années plus tard, cependant, l'on te fera parvenir un petit coffret en plastique marron renfermant, classées en groupes avec des trombones, des dizaines de cartes bristol. Sur les cartes, griffonnées en caractères minuscules : des centaines de notes disparates. Bribes de sagesse bouddhiste, tentatives pour *lâcher prise*, comptes rendus de séances de psychothérapie, relevés de symptômes récurrents : maux de tête et paralysie mentale… L'expression *vieilles peaux qui frottent* revient à plusieurs reprises, de même que l'injonction de *cesser de chercher du sens à tout prix.*

Tu seras impressionnée par cette preuve palpable de la confusion mentale dont Kenneth s'était toujours plaint. Plus impressionnée encore par le fait que, malgré tout, cet homme ait réussi à fonctionner dans le quotidien. Il suivait les actualités politiques et les saisons de baseball, se tenait au courant des activités de ses enfants, lisait des histoires à ses petits-enfants… Quel effort insensé il avait dû déployer en permanence pour donner le change, cacher ses craintes, garder un air à peu près normal aux yeux du monde !

Sacrée classe de littérature. Ton bureau sera toujours parfaitement rangé. La surface de ta table de travail, quand tu n'y es pas, sera nue. Tu n'aimeras rien tant que t'appliquer à la même tâche, jour après jour. Voir les mots se suivre, les paragraphes s'aligner, les pages s'empiler. Avancer de manière suivie et cohérente. Relire, retravailler, corriger, améliorer. Élaguer.

Les cris et les cheveux arrachés seront là, mais résorbés. Et les échecs, escamotés. Tous les désespoirs du monde.

Tu jetteras le rebut. Vite, et même trop vite. Au grand dam des Archives nationales qui s'intéresseront plus tard à tes papiers, tu balanceras tous tes manuscrits à la poubelle.

Si tu quittes ta patrie, c'est aussi pour fuir le cerveau paternel, perturbé et perturbant.

Dans toutes les situations de la vie (y compris, une fois, lors d'un séjour un peu long à l'hôpital) tu exigeras que l'on t'octroie solitude, silence, papier, concentration. Pour narguer les démons du père, sans doute... mais aussi : pour repriser et réparer, mot après mot, les déchirures de son esprit.

La vie des parents d'Alison devait ressembler à un perpétuel tir à la corde : elle, disant le bénédicité avant chaque repas et lui, marmonnant, au lieu de l'habituel *Amen*, "Balivernes!"... Elle, concoctant sa gelée de pommes sauvages et lui, ronflant bruyamment dans son fauteuil relax... Elle, assistant régulièrement à l'office, coiffée d'un chapeau noir à voilette (qui, le dimanche matin, devait lui donner une vision du monde assez semblable à celle des Afghanes en burqa), et lui, l'accompagnant mais à reculons, agacé par la contrainte.

Plausiblement, petite fille, la jeune femme qui te porte dans son ventre en ce moment a aspiré à faire plaisir à ces deux contraires. Comme toi, Dorrit, elle a voulu contenter simultanément maman et papa alors qu'ils n'étaient d'accord sur rien. Son père tenait à ce qu'elle soit bonne élève, et elle a été bonne élève. Sa mère voulait qu'elle apprenne à cuisiner, et elle a appris à cuisiner. Peu à peu, elle est devenue une jeune fille vive d'esprit et omnidouée.

Oui, tu le découvriras toi-même : il est possible d'être omnidoué, à condition d'être extrêmement anxieux.

Ce qu'il faut comprendre des femmes de cette génération, la première à naître après l'arrivée du suffrage féminin en Amérique du Nord (1920), c'est qu'elles croyaient *possible* de tout réconcilier. Aujourd'hui, plus personne ne le croit.

Hélas, tandis qu'on élevait les filles à la fois comme filles et garçons, on continuait à élever les garçons comme des garçons.

Et ce qu'il faut comprendre d'Alison en particulier, c'est qu'elle aimait *tout*, mais alors vraiment *tout*, et de tout cœur. Elle aimait jouer du piano et planter des légumes et se maquiller et confectionner des tartes et lire des livres de psychologie et de critique littéraire et assister à des concerts de musique classique et participer à des conversations spirituelles, et sans doute aurait-elle même raffolé d'être mère et ménagère, si on ne lui avait pas intimé l'ordre de s'en contenter.

Hélas, elle était en avance sur son temps.

Comprends-tu, Dorrit, tu vas naître à une époque vraiment nulle : les années cinquante, moment où les femmes nord-américaines sont censées retourner à leurs putains de fourneaux et réapprendre le rôle d'Ange du foyer qu'elles avaient délaissé pendant la guerre.

Elles n'en auront que très moyennement envie. Et les hommes dont elles s'éprennent n'apprécieront leur insolence, leur indépendance et leur égalitarisme qu'aussi longtemps que le couple restera jeune, libre et sans enfants, dansant ensemble sur l'air de *Why Don't We Do It In the Road*[1] ?. Le rêve d'égalité volera en éclats dès que les bébés commenceront à débarquer.

Tu veux savoir la vérité ? C'est encore assez souvent le cas.

1. Chanson des Beatles : *Et si on le faisait dans la rue ?*

Pour résumer, Dorrit, ta jeune et belle et ambitieuse maman est déjà affolée par l'espace que tu occupes dans son corps, et effarée à l'idée du temps que, sortie de là, tu occuperas dans sa vie.

Elle est un prototype de la Femme moderne, qui s'acharnera à être "totale" sans y parvenir. Il te faudra de longues années pour comprendre que ce qui ne va pas dans les études du genre, c'est qu'elles décrivent la maternité comme un rôle à jouer, un métier à choisir. "Truc-Muche veut être policier, Trique-Miche veut être mère. Cassons ces vieux moules !"

Eh bien non… Jouer à la poupée, ce n'est pas se soumettre à un stéréotype stupide. C'est imaginer à l'avance, et tenter de *bien* imaginer, une longue et lourde et réelle réalité, que connaîtront, une fois grandes, quatre-vingt-dix pour cent des petites filles.

Au cours des heures et des jours qu'elle passera avec toi, Alison fera de son mieux pour te transmettre sa culture et ses connaissances mais, chaque fois qu'il y aura un pépin, l'univers s'effondrera. Car en elle, la maternité n'est pas, comme en ses aïeules, enracinée dans des millénaires de savoir-faire et de confiance en soi ; Alison n'est pas tranquille dans la certitude que c'est *cela* qui confère du sens à la vie d'une femme.

Alors accroche-toi, Dorrit, parce que cette maman-magicienne superperformante va exécuter quelques sacrés tours de passe-passe avant de prendre la clef des champs.

Tu la vois? *Abracadabra!* Tu ne la vois plus!
Elle sera là, puis… distraite, perdue, éperdue.
Heureuse, puis… hystérique.

Un mois de décembre quand tu as trois ou quatre
ans, peut-être dans la maison de Delton, ce quartier d'Edmonton où vous aménagerez en 1956, elle
t'amène au sous-sol avec elle, chercher les décora-
tions pour l'arbre de Noël. Son excitation fait de
ce moment une vraie petite cérémonie : tu vois ses
belles mains aux ongles rouges écarter les pans des
boîtes en carton et en retirer, individuellement enve-
loppées dans du papier journal, chacune différente,
de grandes et fragiles boules de verre où brillent or
et argent, où scintillent toutes les couleurs. Oui, tu
sens que pour Alison il s'agit d'un rituel important,
et tu es fière de l'aider à accrocher ces merveilles sur
l'arbre. Ensuite, horreur : une des boules glisse de
tes petites mains et se brise sur le sol de la cuisine,
pas de retour en arrière possible, la boule n'est plus
que fragments étincelants éparpillés et les cris que
pousse alors la mère résonneront à travers les décennies : déception, dévastation sans remède, colère défi-
nitive, tu es coupable vois-tu, Dorrit, tout le mal du
monde est de ta faute…

Non, je plaisante. Allez, ma chérie, ça n'a pas d'importance, regarde, c'est balayé déjà, viens là que maman te serre dans ses bras.

Dans toutes les études neurologiques qui portent sur le sujet, on lit que l'interaction entre la mère et son bébé est cruciale pour le développement du cerveau de l'enfant.

Et si cette interaction est aussi régulière que le code morse… eh bien, il y a des chances pour que le cerveau de l'enfant soit spasmodique.

Un autre jour à la cuisine, Alison grimpe sur un tabouret chercher quelque chose sur la dernière étagère du placard. Comme tu sais que les bonbons à la menthe se trouvent là-haut, tu lui demandes si tu peux en avoir un et elle prononce une phrase mais comme elle te tourne le dos tu ne l'entends pas alors tu dis "Quoi?" et elle répète sa phrase et tu ne la saisis toujours pas et tu dis "Quoi?" et à ce moment précis, Stephen déboule dans la cuisine et tu te vantes de ce qu'on va te donner un bonbon à la menthe et la mère explose : "J'ai dit de ne pas le dire à ton frère!"

Aïe, c'est donc ça qu'elle disait! Dorrit! Il ne fallait pas le dire, à Stephen, que maman allait te donner un bonbon à la menthe! (Mais pourquoi?... Les bonbons coûtaient si cher?) Sur le moment, tu ne raisonnes pas. Sur le moment, tu meurs. La rage d'Alison te stupéfie, arase ton être, te réduit en cendres.

Nous nous trouvons d'abord, disent les psychologues, dans les yeux de la mère.

Et si la mère regarde ailleurs, eh bien, l'enfant fera de son mieux pour être Ailleurs.

La frise chronologique correspondant aux deux premières années de ta vie est un vrai foutoir, Dorrit : autant le savoir à l'avance, car tu auras de sacrées bourrasques à gérer dès que tu débarqueras sur la terre ferme.

Quand tu auras huit mois, Kenneth s'en ira suivre un cours de météorologie dans l'Est du pays, à plusieurs milliers de kilomètres de chez vous ; quelques mois plus tard, Alison vous trimbalera, Stephen et toi, jusqu'à Toronto – d'abord parce qu'elle trouve inadmissible qu'on lui fourgue les enfants comme ça, ensuite parce qu'une copine à elle, qui habite Toronto, vient de subir un avortement et a besoin de son soutien (tu vois, ç'aurait pu être toi le *bye-bye-ba-by*).

Pour finir, les deux femmes s'amuseront tellement dans la grande ville, auront tant de plaisir à se découvrir toujours jeunes et sexy, qu'Alison décidera de mettre ses deux mômes au vert. Elle vous laissera quelques mois avec un couple dans la ville de Trenton, à seulement cent soixante-neuf kilomètres de Toronto.

Sur la frise, l'été 1954 sera décrit ainsi : *Toronto et Trenton ; Toronto bonne période, Trenton mauvaise période.*

Et la case suivante, correspondant à octobre 1954 – mars 1955 : *Famille éparpillée (mauvaise période).*

Une demi-année de *famille éparpillée,* c'est long quand on n'a qu'un an, n'est-ce pas Dorrit ? Ça te donnera du fil à retordre pour le restant de tes jours. Plein de questions sans réponses, ce qui est excellent pour l'écriture. Ou pour la peinture/sculpture, comme Louise Bourgeois, "1 an – abandonnée – pourquoi me délaissent-ils – où sont-ils / 3 mois – affamée et oubliée – peur de la mort*". Cris et cauchemars – *où sont-ils ?* inconnus qui vous frappent – *peur de la mort* – inconnus qui vous nourrissent et vous mettent au lit – *pourquoi me délaissent-ils ?*

Ce genre de scène ressurgira d'un bout à l'autre de ton œuvre romanesque. De nombreux enfants dans tes livres seront régulièrement engueulés, giflés, fessés, frappés à la tête. Ils vivront dans la peur, ne sachant jamais si on va leur donner un baiser ou un coup de pied.

Des photos de cette *mauvaise période* te montrent les yeux coquettement baissés, le regard détourné de l'appareil, te cramponnant à tout ce qui se trouve à proximité : peluche, poupée, frère aîné. *J'essaie de n'occuper aucune place*, dit ta posture, *mais, hélas, je ne puis m'empêcher de respirer. Désolée.*

Toujours, toute ta vie, jusqu'à l'orée de la vieillesse, tu t'identifieras aux choses tordues, ébréchées, de guingois, un peu cassées comme toi. Si tu achètes aux puces tes meubles et tes habits, c'est moins pour faire des économies que parce que tu as pitié des objets rejetés, venus y échouer. Les arbres qui réussissent à pousser autour de grillages métalliques te fendent le cœur. Privée, comme Romain Gary, de tout sentiment de sécurité à l'endroit de l'amour maternel, comme lui tu ne sauras t'aimer qu'à travers les autres, de préférence souffrants.

"La faute en est [...], je crois, à mon égocentrisme, écrit Gary dans son autobiographie très romancée *La Promesse de l'aube*. Mon égocentrisme est en effet tel que je me reconnais instantanément dans tous ceux qui souffrent et j'ai mal dans toutes leurs plaies. Cela ne s'arrête pas aux hommes, mais s'étend aux bêtes, et même aux plantes. Un nombre incroyable de gens peuvent assister à une corrida, regarder le taureau blessé et sanglant sans frémir. Pas moi. Je suis le taureau. J'ai toujours un peu mal lorsqu'on coupe les arbres, lorsqu'on chasse l'élan, le lapin ou l'éléphant. Par contre, il m'est assez indifférent de penser qu'on tue les poulets. Je n'arrive pas à m'ima-giner dans un poulet*."

Plus que tout autre facteur, c'est peut-être cette *empathie désespérée* qui fera de toi une romancière.

En réaction à ces drôles de débuts dans la vie, tu décideras qu'être mère, bof, ce n'est pas si spécial que cela. Pas si différent, dans le fond, que d'être père.

À trente-cinq ans, enceinte pour la deuxième fois, tu murmureras à l'enfant dans ton sein que, même si l'on fait tout pour l'oublier, son père est lui aussi un corps.

"Le cœur de ton père bat mais tu ne l'entends pas. Les poumons de ton père respirent mais tu ne les sens pas. Les entrailles de ton père sont vivantes, font des gargouillis, remuent, travaillent, digèrent, mais tu l'ignores. Le corps de ton père s'étire, se penche, se lève, s'assoit, s'allonge, se tend et se détend, mais tu ne sais rien de tout cela. Le corps de ton père n'existe pas encore pour toi. Pourtant il a un corps. [...] Du corps de ton père, tu ne connaîtras que l'extérieur, l'écorce ; peau sèche et poils, voix portée par l'air, non la chair. Pourtant c'est un arbre vivant aussi – oui, je t'assure – et pas seulement un arbre généalogique. Un arbre plein de sève, et pas seulement un nom. Ton père est un corps*."

Certes ce n'est pas faux mais, tout de même, quel malaise dans ces phrases devant cette évidence inconfortable : l'enfant, y compris son cerveau, se fabrique dans le corps de la seule mère et n'enregistre que ce qui lui arrive à elle.

Un colloque t'aidera à l'admettre.

Cela se passe un jour de juin 2012, à l'unité d'accueil mères-enfants d'une banlieue nord de Paris. Tout au long de cette journée, tes certitudes seront ébranlées par les interventions théoriques et les témoignages que tu entendras. Ils emploient souvent, pour le couple mère-enfant, le terme lacanien de *dyade*, terme que tu as dépensé pas mal d'énergie à nier dans tes écrits, insistant (de façon, tu le vois maintenant, étrangement cartésienne) sur la primauté du récit dans la fabrication d'un soi humain.

"Le soi est une donne chromosomique sur laquelle sont accrochées des fictions*", as-tu notamment écrit.

Tu as été invitée à cette journée de travail pour parler d'un de tes romans, qui illustre apparemment (tel n'était pas ton but en l'écrivant) les thèses de la "psychologie transgénérationnelle". Un des points de départ de ce roman est l'histoire des enfants, originaires de Pologne, d'Ukraine et des Pays baltes, que les Allemands ont volés entre 1942 et 1945 pour compenser leurs pertes de guerre.

À l'heure du déjeuner, une pédopsychiatre vient te parler. "Vous racontez, dit-elle, les cauchemars que faisaient ces enfants volés après avoir entendu des chansons dans leur langue maternelle. Tout n'est donc pas récit! Il existe aussi des empreintes archaïques, préverbales, prénarratives. Par exemple, si le bébé dort la tête appuyée contre les barreaux de son lit-cage, c'est qu'il cherche à retrouver le contact rassurant du sternum maternel."

Tu ne peux que lui donner raison... mais soudain, tu as la tête qui tourne. Plusieurs fois, au cours de cette journée d'études, tu éprouveras un vertige puissant, presque nauséux... Quelles empreintes as-tu reçues d'Alison avant que tu ne sois toi, quand ton corps était encore mêlé à son corps? Quelles empreintes as-tu laissées sur tes propres enfants, quand ils étaient encore mêlés au tien?

Tu sors de ce colloque bien secouée. À ton retour à la maison, tu apprendras que le Peintre, sans savoir ce que toi tu étais en train de faire, a consacré sa journée à réaliser une série d'aquarelles… intitulée *Fœtus fabulateurs*.

L'été 1953 dans l'Ouest du Canada, la météo est assez dramatique : plusieurs milliers d'oiseaux se font tuer par des grêlons gros comme des balles de golf, et dans la seule journée du 31 juillet, la ville d'Edmonton reçoit cent quatorze millimètres de pluie. Mais toi, Dorrit, tu ne souffres ni des grêlons ni de la pluie ; tu t'accroches.

Ça commence à être un peu rock'n'roll là-dedans. Étant donné que les mouvements d'Alison sont souvent saccadés, et que pas mal de nicotine, d'alcool et de colère se déversent en toi à travers le cordon ombilical, ce à quoi tu t'accroches, de plus en plus, c'est *le son*.

Tes oreilles sont maintenant assez développées. Elles enregistrent les battements de cœur maternels, et les tiens. Amplifiés à l'intérieur de ce tambour que forme sa cage thoracique, ils ricochent sur les parois de l'utérus. Comme deux horloges tique-taquant ou deux robinets gouttant dans la même pièce, les rythmes interagissent de façon chaotique, au sens mathématique du mot *chaos*, c'est-à-dire qu'il est impossible de prévoir leurs convergence et divergence…

Également de l'intérieur, transmise par les os, le sang et la chair d'Alison, tu entends sa voix tandis

qu'elle parle et fredonne, rit et jure, chante à Stephen et se dispute avec Kenneth.

Toujours, tu seras hypnotisée par le son et le rythme.

Ce battement est-il un son, ou une douleur dans l'air?
Scandé, inévitable, envahissant comme la lumière,

comme l'exprimera Duncan Campbell Scott dans son poème "Le Tambour de Poasin".

Tous les enfants de Dieu ont le rythme
tous les enfants de Dieu ont le swing,

chantera Judy Garland.
Allez, tout le monde maintenant!

In the town where I was born,
lived a man who sailed the sea
And he told us of his life,
In a yellow submarine...

C'est la musique qui coudra ensemble les morceaux disparates de ta vie. Son, rythme et mélodie seront tes cordes de sécurité, le filin dont tu te serviras pour te tracter hors des eaux glaciales de la panique et de la solitude. Les cordes vocales.

Quand elle est dans les parages, Alison sera *merveille*. Une mère charnelle. Charnue. Charmante, chantonnante et pleine de vie. Installant sur ses genoux l'un ou l'autre de ses trois enfants, elle fera bouger leurs petites menottes en scandant des vers de sa jolie voix :

> *Pat-a-cake, pat-a-cake, baker's man,*
> *Bake me a cake just as fast as you can*[1].

Dix mille pages écrites dans une langue étrangère n'effaceront pas le douloureux délice d'entendre ses mots-notes sortir d'entre les lèvres rouge rubis d'une Alison de bonne humeur.

> *Pat it and roll it and mark it with* B,
> *And put it in the oven for baby and me*[2].

1. "Tapez la pâte, tapez la pâte, M. le Boulanger, / Faites-moi un beau gâteau tout de suite s'il vous plaît."
2. "Tapez-la, et roulez-la, et tracez-y un *B*, / Puis glissez-la dedans le four pour moi et mon bébé !"

Tu meurs d'envie d'être le bébé pour qui le boulanger fait le gâteau, mais on dirait que, neuf fois sur dix, c'est Louisa ta petite sœur.

On t'oblige à faire la sieste. Même quand tu n'as pas sommeil, tu dois rester couchée une heure entière, soit seule dans ton propre lit (c'est le pire), soit avec Alison dans le sien. Un de tes souvenirs les plus cuisants sera celui d'une sieste à trois : Alison donne le sein à Louisa, et tu recherches l'autre sein pour téter toi aussi ; elle te repousse d'un mouvement brusque, presque de dégoût, et tu ne comprends pas pourquoi.

Un après-midi d'été, étouffant de chaleur, Alison et Louisa dorment à tes côtés ; folle d'ennui, tu te tournes et te retournes à la recherche d'une position confortable, retournant l'oreiller aussi pour sentir la fraîcheur du tissu contre ton front… jusqu'à ce que, sursautant brusquement, la mère te frappe et susurre, excédée : "Cesse de gigoter!"

En toi, quelque chose ne bougera plus.

Des décennies plus tard, les gens te demanderont pourquoi tu changes complètement d'univers à chaque roman. La réponse est simple : c'est le rythme auquel on t'a habituée, petite. S'arracher tous les ans (voire plus souvent encore) à ce qui t'était familier. Déménager. Recommencer à zéro. Ailleurs.

Le fait d'être "la nouvelle", encore et encore – à l'école, à l'église, dans les cours de danse, partout –, sera pour toi une classe de littérature puissance x ! Tu es celle à qui il faut tout expliquer, celle qu'il faut initier aux hiérarchies, aux coutumes locales, aux jeux de pouvoir. Tu apprendras à te mettre à la place des autres, à voir le monde (y compris toi-même) à travers leurs yeux.

Cela deviendra plus vrai encore quand les déménagements te feront traverser des frontières nationales : à quinze ans tu émigreras aux États-Unis, à vingt ans en France ; là, tu ne seras plus seulement "la nouvelle", mais "l'étrangère". Les gens te poseront peu de questions sur le monde que tu as quitté (le Canada lointain, immense mais fade)… mais, avide de te mettre dans leurs bonnes grâces, tu n'auras de cesse que de te familiariser avec le leur. Tu es tout ouïe ! et c'est flatteur pour eux ! ils te parleront, t'expliqueront sans fin. La raison pour laquelle les primaires des élections américaines démarrent toujours dans l'État du New Hampshire. La construction de l'université de Harvard, dans le Massachusetts, au XVIIe siècle. Les différents stades de baseball à New York. Les rafles dans le Marais, quartier juif de Paris. Le bocage berrichon, ses croyances populaires, ses danses, son patois...

Les cases résumant les troisième, quatrième et cin-
quième années de ton existence regorgent de déra-
cinements.

Juillet 1955 – février 1956 : *Moose Jaw – Portage
la Prairie – conception de Louisa*.

Février 1956 – septembre 1957 : *Déménagement à
Edmonton – naissance de Louisa – la famille commence
à fréquenter l'église unitarienne – "bonne période"*.

La mère commence à se lasser de ce rythme. Justement parce qu'elle valorise, aussi, la domesticité,
elle aurait aimé voir un de ses *domiciles* rester en
place plus que quelques mois.

Au cours des deux années suivantes, le père conti-
nuera de ziguer et de zaguer : *Namao* (Colombie-
Britannique), puis *retour à la fac*, puis *Penhold*
(Alberta), puis *retour à la fac* pour les deux parents.
Ouf.

Dans cette neuvième et ultime année de leur
mariage, après pas moins de dix-huit déménagements, depuis le Texas jusqu'au Mexique et depuis
l'Ontario jusqu'à l'île du Prince-Édouard ou à la
Colombie-Britannique, ils ont dû être soulagés, en
plus de donner chacun des cours du soir, de reprendre
leurs études à plein temps.

Cette année-là, l'organisation du quotidien sera enfin tip-top. Ils ont acheté une petite maison à un étage ; ils habitent le rez-de-chaussée, et le premier est occupé par un couple de Néerlandais, les Dragstra, qui, au lieu de payer un loyer, s'occupent des trois enfants pendant la journée.

Tip-top, sauf que... les Dragstra sont par ailleurs portés sur la vie nocturne et ont tendance à boire et à jouer dans les casinos d'Edmonton jusqu'à l'aube, de sorte que lorsque Alison, déjà douchée et sapée et maquillée et guillerette et fraîche et dispose, impatiente d'assister à son premier cours de science politique (surtout qu'elle trouve le professeur charmant), sonne à leur porte à 7 h 30 pour déposer sa marmaille, c'est de mauvaise grâce qu'ils s'arrachent au lit pour venir lui ouvrir.

Peu d'images de cette période. Rien que du son, ou plutôt de l'absence de son, due à l'ordre de silence que vous imposera Mrs Dragstra.

Ton frère passe une grande moitié de la journée à l'école et ta sœur, étant bébé, n'est pas responsable du bruit qu'elle fait mais toi, Dorrit, coincée entre les deux, tu seras contrainte de te taire.

Les journées sont sans fin. Tu te sens seule et ne dois pas bouger, car Mrs Dragstra a mal à la tête, veut se reposer, et ne supporte pas le moindre bruit. Tu détestes les plats qu'elle te cuisine à midi et la sup-plies de ne pas se donner tant de mal, tu veux bien te contenter de sandwichs à la pâte de fromage. "Okay, petite princesse, si tu veux des sandwichs à la pâte de fromage, c'est ce que tu mangeras *tous les jours* à partir de maintenant. Compris? – Oui, merci", murmures-tu, incrédule devant ta bonne chance.

Quand des bagarres éclatent entre toi et Stephen (et elles éclatent souvent, car vous avez de qui tenir), elle vous frappe à la tête et vous traite de *sales gosses*. Ensuite, vu que Stephen est plus grand et devrait être plus sage, elle l'enferme dans la remise à balais sous l'escalier.

Chaque après-midi, tu vis le retour de Stephen de l'école comme l'arrivée du messie : tu te jettes sur lui et insistes pour qu'il t'enseigne tout ce qu'il a appris ce jour-là. Ainsi, grâce aux talents pédagogiques de ton grand frère, tu sauras lire à l'âge de quatre ans et demi.

Le père écrira une lettre au recteur de l'école : *Cher Monsieur Kulak, j'aimerais prendre rendez-vous avec vous pour discuter de la possibilité de faire entrer ma fille à l'école dès cet automne. Dorrit aura cinq ans au mois de septembre 1958. Depuis toute jeune* [c'est quoi "toute jeune" pour une personne âgée de quatre ans ?]*, elle a fait un effort continu, et couronné de succès, pour se tenir au niveau de Stephen, son frère aîné. Cette dernière année, avec très peu d'encouragement de notre part, elle a appris à lire.*

Même si la requête de Kenneth restera lettre morte, l'apprentissage de la lecture te sauvera. Le flot de voix ne s'interrompra plus. Ta vie durant, les voix humaines se glisseront par tes yeux jusque dans ton cerveau pour y éclore en sons de silence. Tu liras matin et midi, soir et nuit. Tu liras en marchant, en mangeant et en allant aux toilettes ; tu liras avec une torche électrique en te cachant sous ton lit ; tu liras dans le bus, dans le train et sur le siège arrière de la voiture ; si tu pouvais lire en dormant et en jouant au piano, tu le ferais aussi.

Bientôt, ton vocabulaire à l'écrit sera plus riche qu'à l'oral. Pendant des années, tu seras convaincue qu'il existe un verbe *to misle* (prononcé *maïzel*) qui veut dire induire les gens délibérément en erreur ; adolescente, tu réaliseras soudain que *misled* est le participe passé, non de *misle*, mais de *mislead*.

Tu entendras les voix des livres que tu lis. Psalmodiant, chantant et se chamaillant, faisant vibrer d'invisibles cordes vocales, cordes de sécurité… toutes les voix humaines, y compris la tienne.

Tu te parleras à la troisième personne, transformant chacun de tes gestes en une scène, et ta vie quotidienne en un roman. "Dorrit traversa la pièce et regarda par la fenêtre", te diras-tu. "Dorrit se sourit dans la glace." "Dorrit se demanda quel temps il allait faire demain." "Comment vas-tu aujourd'hui, Dorrit? – Mais je vais très bien, Dorrit, merci, et toi? – Oh, ça ne va pas trop mal, merci, on fait aller! – Une fée à lait?" Tu joueras avec le son des mots, *aller, à lait*, et aussi avec les idées, avec l'idée qu'en ce moment tu penses ceci, mais que, là, tu penses que tu le penses et que tu es la personne qui le pense, et que, là, tu penses que tu penses que tu penses que tu es la personne qui le pense, et comment feras-tu pour t'en sortir? À cinq ans, tu plongeras ton cerveau dans des spirales logiques dignes de Samuel Beckett.

"Quelles visions dans le noir de lumière! Qui s'exclame ainsi? Qui demande qui s'exclame, Quelles visions dans le noir sans ombre de lumière et d'ombre! Encore un autre encore? Imaginant le tout pour se tenir compagnie. Quelle contribution encore à la compagnie ce serait. Encore un autre encore imaginant le tout pour se tenir compagnie. Vite vite motus*."

Tu t'accrocheras au son des voix humaines comme à une drogue, à une perfusion intraveineuse. Oui, c'est de la *compagnie*, au sens beckettien du mot. Jusqu'à ta mort, des personnages jacasseront dans ta tête.

Dans l'écriture aussi, la musique deviendra profondément ta stratégie. Que ce soit de façon explicite (en incorporant des chansons à toutes tes pièces de théâtre, des personnages de musiciens et des thèmes musicaux à nombre de tes romans) ou implicite (à travers les rythmes de ta prose, que tu lis à voix haute avant et après publication), tu vivras la littérature en mélomane. Sur les sables mouvants de ton enfance, langage et musique seront des échafaudages invisibles, amovibles, sans poids, auxquels tu pourras toujours te cramponner.

Un jour, Alison demande à une voisine (pas Mrs Dragstra, une autre voisine, une jeune femme de son âge) de te garder quelques minutes. "Je reviens tout de suite", dit-elle. La voisine te dit que tu peux attendre dehors, sur le perron de sa maison, car il fait beau et elle vient de laver le sol de sa cuisine.

Mais le temps passe, le jour commence à tomber et Alison ne revient pas. Alors, tu te mets à chanter. Là où d'autres prient, tu chantes. Tu aimes les chansons interminables, genre *Green Grow the Rushes-Ho* ou *The First Day of Christmas*. Tu chantes toutes les strophes sans en oublier une seule. Le refrain, qui enchaîne en ordre inversé le premier vers des strophes déjà chantées, tu le débites très vite et sans la moindre hésitation… C'est avec une verve particulière que tu chantes le vers final : *"One is one and all alone and evermore shall be so[1]."*

La voisine en est bouche bée. Tu l'entendras dire à la mère, quand celle-ci revient enfin : "Eh bien ! elle a un sacré répertoire, votre fille !"

1. "Un est un, il est tout seul, et le sera à jamais."

Le bonheur absolu, c'est quand la famille sort faire un tour en voiture le dimanche après-midi et que les parents se mettent à chanter ensemble. Au moins, tant qu'ils chantent, ils ne peuvent pas se disputer.

Tu aimes particulièrement les chansons qui comportent une certaine violence comique. *La Fenêtre*, par exemple, qui adapte à la même mélodie toutes les comptines de ma mère l'oie, mais en les détournant : arrivé au refrain, quelqu'un ou quelque chose se fait à chaque fois jeter par la fenêtre.

Kenneth commence :

> *Little Jack Horner sat in a corner,*
> *Eating his Christmas pie.*
> *He stuck in his thumb, and pulled out a plum,*
> *And...*

Oh, et quelle jubilation, quand à la place de la vraie chute du quatrain – *"said what a good boy am I"* – toute la famille scande à l'unisson :

> *Threw it out the window, the window, the window*
> *He threw it out the window,*
> *And if you don't watch what you're about,*
> *I'll throw you out the window*[1]*!*

1. "Petit Jacquot est assis dans un coin, / À manger sa tarte de Noël. / Il y enfonce le pouce, en retire une prune, / Et… (s'exclame « Quel gentil garçon je suis ! ») la jette par la fenêtre… / Et si tu ne fais pas attention, / Je te jetterai par la fenêtre !"

C'est à Alison :

Little Miss Muffet, sat on a tuffet,
Eating her curds and whey.
Along came a spider and sat down beside her,
And…

Là, au lieu de *"frightened Miss Muffet away"*, on crie à tue-tête : *"she threw it out the window*[1] *"!*

Le plus beau dans cette chanson, c'est qu'au moment où l'un des parents se lance dans une nouvelle strophe, tu ne sais jamais si le héros de la comptine sera bourreau ou victime – tout dépend d'où on en sera, grammaticalement, à la fin du troisième vers. Ainsi, tous les chevaux et tous les hommes du roi jetteront le grand œuf Humpty Dumpty par la fenêtre et les moutons de la petite bergère Bo-Peep reviendront au bercail pour la jeter par la fenêtre ; par contre, Jack jettera par la fenêtre sa couronne

1. "La petite demoiselle Renée / S'assit sur un tabouret / Arriva une araignée / Qui s'installa à ses côtés / Et… (Renée s'enfuit effrayée) elle la balança par la fenêtre !"

brisée et Maîtresse Mary infligera le même sort à ses coquilles et ses clochettes.

Cette moralité ambiguë tranche avec celle des paraboles chrétiennes, où les bons sont toujours récompensés et les méchants, toujours punis. L'incertitude pour savoir qui sera jeteur, et qui jeté, sera une excellente préparation pour le métier de romancière.

Lors de trajets plus longs, des voyages interminables, tuants d'ennui, le long d'autoroutes qui foncent tout droit à travers le paysage plat de l'Alberta, les parents chanteront *Oh, You Can't Get to Heaven*, inventant des strophes toujours plus drôles pour vous distraire.

Les enfants répètent les vers au fur et à mesure :

> *Oh, you can't get to heaven*
> *In Daddy's car*
> *'Cause Daddy's car*
> *Stops at every bar*

> (refrain) *Oh you can't get to heaven in Daddy's car*
> *'Cause Daddy's car stops at every bar,*
> *I ain't a gonna grieve my Lawd no more*[1].

Te plaisent dans cette chanson le droit qu'elle te donne de faire des fautes de grammaire, disant *ain't*

---

1. "Impossible d'aller au paradis / Dans la voiture de papa, / Car la voiture de papa / S'arrête dans tous les bars… / Oh, je ne vais plus faire de peine à mon Seigneur."

a gonna au lieu de *am not going to*... et aussi la vague conscience qu'au départ, ces paroles étaient chantées par des Noirs.

Autant le chant t'est secourable, autant le piano l'est peu. Dans ton milieu, cet instrument est essentiellement un instrument de discipline, un redoutable symbole de difficulté. Si on est heureux de quelque chose au piano, ça ne peut être que d'avoir eu d'excellentes notes aux concours, après avoir sué sang et eau pour les préparer. Ni ta tante, ni ta mère, ni tes grands-mères, ni tes professeurs au long des années ne t'apprendront à aimer la sensation du clavier sous tes doigts, ni à t'émerveiller des sons que tu produis. Jamais avant l'âge adulte tu ne verras quelqu'un jouer du piano avec abandon (si ce n'est, à la télévision, des jazzmen noirs ou le Grand Liberace).

À douze ans, tu demanderas au père l'autorisation d'abandonner le piano classique pour prendre des leçons de jazz, et la réponse sera non. Peut-être souhaite-t-il préserver, à travers toi, un lien imaginaire à la mère ?

Malgré tout le piano te sera classe de littérature, peut-être même la plus importante de toutes. D'abord parce que tu y acquerras le goût du travail minutieux, patient, maniaque. Le plaisir de "changer le monde" en décortiquant, lissant, répétant, reprenant, vingt fois, cent fois, une phrase... Mais surtout parce qu'en interprétant les morceaux de musique classique, tu apprendras à exprimer tes propres émotions à travers celles des autres. Défoulement fabuleux ! Marches militaires, roucoulements d'oiseaux, élans lyriques, danses ébouriffantes, sombres miasmes en mineur, douces harmonies, explosions, pleurs, cris... Les notes des maîtres passent par ton corps et ton âme, et une structure est donnée au chaos. Après vingt ans à l'école de Bach-Mozart-Beethoven-Schubert-Chopin, tu seras mûre pour écrire ton premier roman.

Tu auras honte de tes souvenirs. Tu voudrais être quelqu'un d'autre… et feras de ton mieux pour l'être. Tu chiperas et chaparderas les souvenirs des autres. Tu écouteras les gens de façon non seulement attentive mais affamée, avide de t'approprier leur passé et de vivre dans leur peau. Serpent qui se faufile de çà, de là, se glissant dans une autre peau pour y habiter un temps, puis la délaissant à son tour, abandonnant les peaux mortes au fur et à mesure.

Ici encore, Romain Gary sera ton frère.

"Lorsque je reste dans ma peau trop longtemps, explique-t-il dans *La nuit sera calme*, je me sens à l'étroit, frappé de moi-même et claustrophobique… Si je cours alors en Polynésie, aux Seychelles ou dans l'Oregon, c'est par besoin de rupture et de renouvellement, car enfin, la sexualité est trop éphémère et fulgurante et ne te permet de rompre avec toi-même et avec du pareil au même que pendant très peu de temps*…"

Un soir, tu amèneras le Peintre dîner chez tes vieux amis du Centre de la France et ils vous raconteront des histoires de leur enfance jusque tard dans la nuit. L'homme parlera de sa grand-mère. Fille abandonnée, louée comme servante à l'âge de douze ans, traitée par ses employeurs comme une chose à mi-chemin de l'animal et de l'humain, obligée à dormir sur une paillasse, dans une chambre non chauffée où était déjà logé le valet de la ferme… Celui-ci commence à la violer dès qu'elle arrive à l'âge nubile… Elle se retrouve enceinte… La mère de l'homme est née de cette grossesse…

La femme, institutrice à la retraite depuis peu, a toujours été passionnée par la pédagogie. À l'âge de six ou sept ans, elle s'introduisait en douce dans la pièce froide derrière la boucherie de son père, où des têtes de veau flottaient dans un grand bac rempli d'eau. Elle les traitait comme des élèves, les rabrouait. "Je leur disais : « T'es vilain, toi ! C'est pas beau de tirer la langue ! » et je leur tapais sur la tête et je les noyais."

Voilà des histoires intéressantes, Dorrit ! Tellement plus touchantes et hautes en couleur que tes histoires à toi. Déjà, en les écoutant, tu t'angoisses à l'idée que tu en oublieras des détails avant de pouvoir les noter, et espères que tes amis ne prendront pas ombrage si tu les glisses un jour dans un roman…

Tu peux être cela, dire cela, avoir et faire cela. Tu peux être, dire, avoir et faire tout ce que tu veux, pourvu que les mots et la musique ne s'interrompent jamais. Parce que ta propre histoire crie famine, les histoires des autres doivent se déverser en toi sans arrêt, te nourrir à chaque instant. Adulte, tu seras incapable de déjeuner seule sans écouter la radio ou lire un journal, incapable de faire un voyage en train sans dévorer un roman.

Le message de la dernière strophe de *Petite Orpheline Annie*, sans doute la comptine que la mère te récitera le plus souvent, est en gros celui-ci : Songe aux problèmes des autres, ma chérie… sans quoi tu seras kidnappée par les lutins.

> *You'd better mind your parents, and your teachers fond and dear*
> *And cherish them that loves you, And dry the orphan's tear,*
> *And help the poor and needy ones that cluster all about —*
> *Or the goblins —'ull getcha — if ya don't — watch — out*[1] *!*

1. "Écoute tes parents, tes enseignants si pleins de charmes / Chéris tes proches, essuie la joue des orphelins en larmes / Secours la

Tu enregistreras ce message et obéiras à cette injonction.

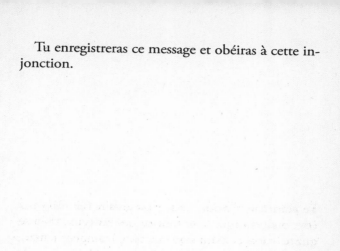

foule des pauvres gens, qui vivent aux abois / Ou bien – les lutins viendront – et t'attrap'ront – TOI!"

Le trauma provoque une *sidération*. Ce n'est pas une mauvaise passe, c'est une *im*passe, une chose qui ne passe pas. En lui le temps se fige. Répétons : le trauma reste à jamais dans le présent. Il ne recule pas dans le passé, ne se normalise pas pour être peu à peu intégré au récit de la vie. Répétons : le trauma a une qualité immédiate, envahissante, hallucinatoire. Sa douleur demeure vive, à vif. Oui, il faut le répéter car le trauma est précisément une répétition, à l'identique ou presque. *Il arrête le temps.*

Une semaine après les funérailles du père, au séminaire de ton amie Inge Schneier-Hoffmann à l'école de médecine de Harvard, tu assisteras à une conférence d'un psychologue néerlandais qui t'ira droit au cœur. (À ce stade de ta vie, ce n'est plus la peine de te dire des choses qui te vont droit au cerveau. Les intellectuels français l'ont fait pendant longtemps, mais cela ne t'aide plus. Dorénavant, tu as besoin de choses qui te vont droit au cœur.)

Basel van der Kolk dit que les émotions, gravées dans le disque dur du système limbique des animaux comme des humains, sont pour l'essentiel immuables.

Il dit que le but de l'*émotion* est la *motion,* le mouvement : nous rapprocher ou nous éloigner les uns des autres.

Il dit que le cerveau est l'organe qui fait bouger les muscles. Accessoirement il peut certes avoir d'autres fonctions, mais pour l'essentiel le but de la vie est de *bouger.*

Il dit que le trauma vous conduit à perdre toute *motivation*, donc tout affect, et vous paralyse.

Il dit que le nerf vagal relie le cerveau, le cœur et les tripes.

Il traite d'aberrante la notion freudienne selon laquelle *parler de son trauma* aiderait à le surmonter, car au moment du trauma le lobe frontal où se passe le langage ferme boutique.

Il dit que sont plus efficaces pour améliorer l'état d'une victime de trauma : la danse, le théâtre, le rolfing et le yoga. Des "trucs de corps".

À la différence des autres animaux, les humains ont tendance, après avoir enclenché un mécanisme de défense dans une situation d'urgence, à ne pas le désactiver par la suite. Menacé de mort, un animal se fige de terreur mais, une fois le danger passé, se met à trembler violemment pour se débarrasser de l'excès d'énergie qui s'est emparé de ses muscles et les a paralysés. L'humain, lui, reste très souvent bloqué.

Voilà pourquoi sera inutile toute forme de thérapie qui lui demande de *parler* de son traumatisme, d'y *réfléchir*, de *s'étendre* là-dessus ; bénéfiques au contraire, toutes formes de thérapie qui l'aident à terminer son mouvement de défense pour en émerger.

"Qu'est-ce qui nous permet de continuer ? demande un personnage de *L'Oratorio de Noël*, roman de ton ami aimé Göran Tunström. C'est le son, qui va et qui vient comme l'eau parmi les pierres*…"

L'eau est son, la pierre, silence. L'eau te sauve, la pierre te tue. Rien ne te fera plus peur que l'immobilité. Le mouvement du monde qui freinerait, ralentirait, s'arrêterait. Les gens qui resteraient de pierre.

La musique est guérisseuse parce qu'elle scande le temps, nous arrachant à la fixité qui nous fascine et nous terrorise.

La première fois que tu comprends cela, Dorrit, c'est à Stockholm en 2000, justement aux funérailles de Göran Tunström.

Ah j'aurais voulu être musique, écriras-tu quelques mois plus tard, dans un texte qui raconte à Göran ses funérailles. *Devenir, toute, cette musique à la beauté immédiate, sereine et tragique en même temps, qu'ensemble nous avons créée, sentie, vécue et écoutée pour toi ce jour-là! Épouser ce mouvement lent... Oui tu avais une préférence pour les mouvements lents : celui du* Concerto pour piano et orchestre *de Mozart,* opus 26, *figure dans plusieurs de tes romans. Et quand un de tes amis, un homme aux longs cheveux blancs et au visage rubicond, a joué au piano l'*Impromptu en sol bémol majeur *de Franz Schubert, il y avait dans la caresse des touches par ses doigts trapus une tendresse inouïe, chaque note était amour et chaque note nous conduisait avec une douceur inexorable un peu au-delà de l'instant de ta mort, car ces notes étaient liées les unes aux autres dans le temps, de même que les corps sont liés les uns aux autres dans le temps, tu le savais* bien, toi, que la beauté mortelle est la seule beauté, et le corps mortel, le seul corps, celui qui subit le temps et accepte d'avancer à travers lui, s'élançant vers l'autre telle une note de musique, s'enlaçant avec l'autre en un accord pour se dérouler ensuite en un arpège, se scander en un poème, s'égrener en un chapelet… Herzlich lieb hab ich dich, *chantions-nous avec la musique de Bach, et si nous étions capables de faire revivre Bach et Schubert, combien plus facilement pouvions-nous sentir ta présence à toi, encore toute chaude et charnelle*!*

Le vers d'Ingeborg Bachmann "Allez, ne pleure pas, comme dit la musique*" est moins sarcastique qu'il n'y paraît. Les mots adéquats à de tels instants n'existent pas ; mais la musique vous berce, vous tient et vous soutient. Parce qu'elle avance dans le temps, elle vous fait avancer aussi.

Tu feras la même découverte lors d'un spectacle mis en scène par ton ami Michel Rostain, le *Llanto por Ignacio Sánchez Mejías* de García Lorca. Une histoire de deuil, là encore : chanteurs et instrumentistes viennent annoncer à la belle jeune femme que son mari torero vient d'être tué dans l'arène. Quand frappe une douleur aussi aiguë, seule la musique permet de ne pas se transformer en pierre.

Les musiciens s'approchent de la jeune femme, qui ne sait pas encore qu'elle est veuve. Non seulement ils lui racontent ce qui s'est passé *a las cinco de la tarde…* mais aussitôt, par la musique, ils viennent *partager son deuil et l'aider à le porter*.

Les chanteurs sont humains, c'est-à-dire qu'ils font partie d'une culture spécifique. Leurs voix et gestes ont été entraînés selon des traditions particulières, ils sont habillés et coiffés d'une certaine manière… et tout cela converge pour apporter une forme, là où la mort a apporté le chaos. Ainsi les musiciens offrent-ils à la jeune veuve le cadeau de la *forme*, et, en échangeant son châle doré contre un châle noir, la veuve signifie qu'elle accepte leur cadeau, qu'elle est d'accord pour continuer de vivre.

La saxophoniste ce soir-là, blonde et grande et belle Suédoise du nom d'Hélène Arntzen, se plante devant la veuve pour jouer un fabuleux solo de jazz-flamenco. Pendant dix minutes incroyables, en y mettant tout son corps, elle lui verse la musique directement dans l'âme. Nourriture de femme à femme, de femme forte à femme forte. Scène sublime, une des plus belles que tu verras jamais au théâtre.

La romancière Virginia Woolf et la philosophe Simone Weil adopteront, vis-à-vis d'un trauma d'enfance semblable, des stratégies inverses.

Woolf s'accrochera à la syntaxe et au son, à la musique des mots, pour élaborer une conception du temps très personnelle, moins linéaire que globale. "Je suis hantée, écrit-elle, par la vie très profonde et à moitié mystique d'une femme. Cela, je le raconterai un jour. Le temps sera complètement effacé et le futur fleurira en quelque sorte du passé. Un rien, la chute d'une fleur, pourrait le contenir. Ma théorie étant que l'événement en soi n'existe pour ainsi dire pas, pas plus que le temps*."

Weil revendiquera au contraire l'immobilité et la perfection. En musique : Monteverdi, Bach, Mozart, et surtout les chants grégoriens parce que, "quand on chante les mêmes choses des heures chaque jour et tous les jours, ce qui est même un peu au-dessous de la suprême excellence devient insupportable et s'élimine**". En philosophie, Platon, avec ses formes idéales, au-dessus de la réalité fluctuante. En littérature, Proust, parce que dans ses livres le passé est "du temps à couleur d'éternité". Et quant au théâtre, selon Weil, "le théâtre immobile est le seul vraiment beau".

Pour Woolf, l'immobilité dénote la catastrophe. Elle décrit la mort de sa mère comme "le plus grand désastre qui pouvait arriver. Ce fut comme si, une journée brillante du printemps, les nuages bousculés par le vent se fussent immobilisés soudain, s'assombrissant et s'entassant les uns sur les autres. Le vent tomba, et toutes les créatures de la terre se mirent, gémissant, à errer en de vaines recherches*". Le son, au contraire, c'est l'extase : "La première fois que ma mère loua un de mes écrits, ce fut comme si j'étais un violon et que l'on me jouait."

Toi, Dorrit, tu adopteras face au trauma l'une et l'autre de ces démarches en alternance : Woolf et Weil, musique et silence, eau et pierre.

Te fera immanquablement disjoncter le fait de n'être pas entendue lorsque tu parles.

Te feront basculer dans l'hystérie aiguë les voix électroniques qui débitent des menus à l'autre bout du fil, alors que tu aurais besoin de poser une question simple à un être humain.

Te rendront capable de meurtre (ou presque) ces employés de la poste, de la banque, de n'importe quelle entreprise ou administration, qui t'ignorent ou te répondent comme des automates (c'est pire s'il s'agit d'une femme, pire encore s'il s'agit d'une Canadienne, au ton courtois mais glacial, condescendant, *matter-of-fact*).

À ces moments, tu serais capable de violenter le téléphone, de claquer des portes-fenêtres à en fracasser les vitres, de rouler en boule des papiers officiels et de te les fourrer dans la bouche. Ce que tu souhaiterais en réalité, c'est te rouler en boule toi-même, rapetisser, régresser, retourner à l'état d'inexistence d'où t'ont tirée, sans le vouloir, et même en ne le voulant pas, les jeux érotiques de tes parents.

Lettre du père, février 2000 (il a soixante-dix ans) : *Je pourrais bien sûr comprendre que tu sois réticente à te libérer de cette douleur dont l'élan a fait de toi une écrivaine aussi stupéfiante… mais, très sincèrement, je crois que tu n'en as plus besoin !*

Mois d'août : huitième mois. Tout est lourd désormais, tout est dur. Quand tu infliges maintenant des coups de pied à la mère, petite Dorrit, elle aimerait bien de te les rendre.

Tu es innocente, OK, on peut t'accorder cela, ce n'est pas de ta faute si tu es là, pour l'instant tu es innocente… mais ça ne saurait durer. Bientôt tu seras coupable, car née ; et après, ça ne s'arrêtera jamais. Autant t'y habituer, Dorrit, petite idiote.

Petite idiote sera l'épithète que tu entendras le plus souvent. Venant de toi-même. Ou plutôt, d'un de tes soi s'adressant à un autre. Car tes soi seront multiples. Ne pas se trouver tous au même endroit au même moment, c'est ce qu'ils sauront inventer de mieux comme stratégie de survie.

Fais pas ta maligne avec moi! (Qui a dit ça?) Ah! ça se croit maligne! Une vraie petite singesse savante, hein? (Qui a dit ça?)

Dès que tu commenceras à être mignonne, tu te serviras de cela aussi. Fais pas ta mignonne avec moi! (Qui a dit ça?) Oh! n'est-ce pas qu'on est mignonne!

Tu joues les malignes et les mignonnes pour que l'on te remarque. Tu ferais n'importe quoi pour que l'on te remarque, n'est-ce pas ? Claquettes, piano, poirier, langue étrangère, alphabet à l'envers.

Pendant un temps bref mais interminable, la mère te coiffera tous les matins. Où va-t-elle t'amener passer la journée? En haut chez Mrs Dragstra? À la crèche? À l'école maternelle? Peu importe. Elle veut que tu sois jolie et c'est une torture. Pour détourner ton attention de la douleur qu'elle t'inflige en te coiffant, Alison te récitera une comptine:

> *There was a little girl who had a little curl*
> *Right in the middle of her forehead*
> *When she was good, she was very, very good*
> *But when she was bad, she was HORRID[1]!*

Tu remarqueras tout de suite que *horrid* rime mal avec *forehead*... n'est-ce pas, *Dorrit*?

---

1. "Il y avait une fillette, qui avait une bouclette / Au centre de son front, très adorable. / Et quand elle était sage, elle était délicieusement sage / Mais, vilaine, elle était juste abominable!"

Tu hais chaque seconde de ce rituel. Alison peigne tes cheveux longs mais il y a des nœuds, le peigne s'accroche. Vu que cela ressemble à une punition, tu as dû commettre un crime, ce doit être de ta faute, vilaine fille, une fois de plus tu t'es trop tournée et retournée dans le lit, tes cheveux se sont emmêlés, alors elle les attrape et les tire vivement vers le haut de ton crâne et les attache avec un élastique, l'entortillant une fois, deux fois, trois fois –

> *Il y avait une Horrible, qui avait une Dorrible,*
> *Au centre de son...*

Ça tire surtout aux tempes et dans la nuque, faisant jaillir tes larmes. *AÏE ! TU ME FAIS MAL !!!*

"Voyons, Dorrit! quelle pleurnicheuse tu fais! Arrête de geindre!"

A-t-elle vraiment dit ça? C'est qu'elle est pressée. Elle a envie d'être à l'université. Ses gestes sont plus brusques qu'elle ne le voudrait.

Et à cette époque on n'avait pas encore inventé les chouchous, ces élastiques enrobés de tissu qui glissent agréablement sur les cheveux des petites filles.

Quand on te prendra en photo, petite coquine, tu glisseras un regard en biais vers le bas.

Coquine… ou bien rusée? Menteuse rusée, petite menteuse, petite comédienne. À l'âge d'un an, tu seras déjà divisée. Tu feras semblant d'être coquine, mais en fait tu seras rusée. Rusée et fuyante comme un serpent. Un serpent rampant, ripant, coulant, coulissant, dérapant, échappant, insaisissable. Se faufilant furtivement, s'immisçant, s'infiltrant, s'ingérant, s'insinuant, s'introduisant là où on ne veut pas de lui. Ève. C'est par la faute des femmes, dit la Genèse, que l'être humain s'est aperçu qu'il était nu.

De façon aussi parfaite que désastreuse, les mensonges glissants rusés coulissants se superposeront, dans ta vie, aux exigences séculaires de la séduction féminine. La nature de la Femme est d'être coupable. Elle est coupable rien qu'en étant *là* (jeune et attirante), un festin interdit pour les yeux des hommes. Tu apprendras cette leçon très tôt, petite Dorrit, et elle te précipitera dans la fosse aux serpents où se confondent amour et désir, désir et amour. Dorénavant tu te sentiras désirée, mais au sens étroit et effrayant du terme, non au sens large et rassurant dont tu rêves depuis toujours.

Parce que tu étais une enfant non désirée, tu te pâmeras, dès l'âge de dix ans, en entendant les hommes susurrer qu'ils te désirent. Anka, Sinatra, Presley, Lennon, Dylan :

I want you, I want you, yes I want you, so bad…
Honey I want you.

Ah, ça! douce Dorrit, pas de souci, ils te désireront. C'est facile d'être désirée par les hommes. Il suffit de rester là, le regard baissé, un sourire vague aux lèvres. Des hommes qui te désirent, il y en aura à la pelle : des bons et des moins bons, des grands et des moins grands, des jeunes et des moins jeunes, des Noirs et des Blancs, des malades et des bien-portants… Tu auras tendance à tomber "amoureuse" de tout homme qui fera attention à toi, or tout mâle adulte hétérosexuel normalement constitué est *ravi* de faire attention à une jolie fillette qui cherche à lui plaire, exécutant des sauts périlleux arrière, retournant sa jupette, jouant au piano la sonate K545 de Mozart, récitant *Hiawatha*, le poème épique de Longfellow, écrivant elle-même des poèmes, dessinant des chevaux, reprisant des chaussettes, ma parole elle sait tout faire, cette petite!

Cher monsieur Kulak, j'aimerais prendre rendez-vous avec vous pour discuter de la possibilité de laisser ma fille s'inscrire dès cet automne dans votre programme doctoral. Elle n'a que huit ans et demi mais…

Après le départ d'Alison, Alice ta future belle-mère t'amènera en Allemagne, où vous passerez quelques mois au sein de sa famille.

Tu iras à l'école là-bas, et le premier grand amour de ta vie sera ton instituteur. Mettons qu'il s'appelle Hans. C'est un beau jeune homme dans la vingtaine, à la voix grave, chaude et douce comme celle du Peintre.

Jour après jour, Hans t'aidera, te guidera, se penchera sur ton pupitre pour vérifier que tu suis bien. Or tu suis bien. Oui, dans la langue étrangère. Sans problème. En un rien de temps, tu apprendras à la parler, à la chanter, couramment et sans accent. Jeux allemands, chansons allemandes, prières allemandes, danses allemandes…

Ainsi, peut-être, Hans t'aimera-t-il ?

La veille de votre retour au Canada, tu écriras en allemand une longue lettre à Hans, et la glisseras sous la porte de son appartement (il habite le même immeuble que vous)… lettre dans laquelle, avec timidité et ferveur, tu lui déclareras ton amour et avoueras nourrir l'espoir sincère que, plus tard, quand tu seras grande, il voudra bien t'épouser.

Hans trouvera la lettre sous sa porte le lendemain matin. La trouve-t-il dérisoire? pitoyable? ou seulement touchante, poignante? Quand il déplie la page et prend connaissance de son contenu, éclate-t-il de rire? Tu détesterais penser ça. Ça ne collerait pas avec l'image de cet homme que tu veux garder.

Mais il doit la trouver, mettons, un peu excessive, un peu inquiétante, car il ne la garde pas pour lui. La nouvelle de ta demande en mariage arrive aux oreilles d'Alice, qui, une fois de retour au Canada, racontera à ses copines encore et encore, en riant aux éclats, comment, à l'âge de six ans, tu t'es amourachée de ton instit – un homme *adulte*, pour l'amour de Dieu – et l'as supplié de *t'épouser*! *Ah! ah! ah!*

Mais ton comportement séducteur persistera. Quand, à l'âge de dix ans, tu te feras épingler comme collectionneuse de garçons dans l'album de ta promotion à l'école, ta belle-mère lèvera les yeux au ciel et dira à ses copines, en hochant la tête, que tu es une vraie petite flirt.

Et quand, à l'âge de quinze ans, tu te feras déflorer par ton professeur d'anglais, elle jettera l'éponge. Renoncera une fois pour toutes à être ta mère. Te rendra au père.

Daddy, disait Marilyn à tous ses maris et amants. *Baby*, lui répondaient-ils.

Si tu étais venue au monde une ou deux décennies plus tôt, on aurait appelé ton comportement "mauvais" et on t'aurait étiquetée "fille dévergondée". Mais puisque tu arrives à l'adolescence à la fin des années soixante, on va t'appeler "une femme libre". Les filles douces et douées comme toi, *baby*, qui disent oui *sans* même être payées, c'est ce dont les hommes ont toujours rêvé…

… même s'il s'avère souvent en fin de compte qu'elles souhaitent mourir.

"Quand je commence à me sentir soudain déprimée, griffonne Marilyn dans son carnet d'écriture, d'où cela provient-il (dans la réalité), peut-être trouver la trace d'accidents du temps passé – sentiment de culpabilité?"

"Mon corps est mon corps, chacune de ses parties*", griffonne Marilyn dans son carnet d'écriture.

Et comme, à la différence de Marilyn Monroe (ou de Jean Seberg ou de Nelly Arcan), tu n'iras pas jusqu'à te supprimer, même ta joliesse sera pour toi une classe de littérature.

Car la vérité, c'est que la plupart des hommes dont tu croiseras le chemin ne te feront pas l'amour. Même ceux qui te prennent en stop ne souhaitent que te protéger des tordus, disent-ils. Ayant perçu en toi quelque chose de vulnérable, d'ouvert et de blessé qui les met en confiance, ils déverseront dans tes oreilles le contenu de leur cœur.

Ils te parleront sans fin, et tu les écouteras de même.

"Je fais plaisir en échange d'une information que je pourrais acquérir sur la nature humaine, écrit Anaïs Nin dans son journal à l'âge de dix-huit ans. Il me semble que mon cœur, dans ses profondeurs, reste intouché par ces incartades de « littérateur » et qu'elles ne diminuent en rien ma sincérité*."

Tu supporteras des hommes de toutes sortes, y compris la pire : d'épais malotrus qui blablatent, salivent, balivernent et t'envahissent de leurs paroles, tu les supporteras parce que, tout en souriant et en hochant la tête, tu enregistres leur comportement, certaine de prendre un jour ta revanche en les transformant en personnages. Écrivant, c'est toi qui auras le dessus, toi qui les manipuleras comme des marionnettes, toi qui décideras quand ils doivent l'ouvrir et la fermer.

De façon générale, Dorrit, ayant été élevée sur des sables mouvants, poussée à droite à gauche, secouée de haut en bas sans pouvoir intervenir pour infléchir le cours des événements, écrire reflétera ton besoin de gouverner seule. De prendre seule toutes les décisions. De bâtir seule des univers sur cette fondation aérienne, immatérielle... et donc d'une solidité à toute épreuve : les mots.

Et quand elle était sage elle était délicieusement sage,
Mais, vilaine… eh ben, elle jetait le putain de poème
  par la fenêtre !

… Tu sais quoi, Dorrit? tu commences à être un assez grand fœtus. La mère entamera bientôt le huitième mois de sa grossesse ; si tu naissais maintenant, tu serais viable.

À partir de la fin du XXe siècle, des millions d'euros seront dépensés chaque année pour mettre au point l'utérus artificiel.

Tu trouveras ces recherches aussi affligeantes que celles qui portent sur la bombe nucléaire, et pour les mêmes raisons : à travers elles, les hommes tripotent ce qu'il ne faut pas tripoter, piétinent un domaine sacré. Tout comme la fission et la fusion de l'atome, l'utérus artificiel représente le viol de la matière et du *mater*.

À la fin de la Première Guerre, il n'y avait dans le sol que des cadavres. Certes, des millions d'hommes étaient morts, mais la Terre, elle, était la même qu'avant l'arrivée d'*Homo sapiens*.

Aujourd'hui, à Fukushima comme à Tchernobyl, c'est le sol lui-même qui est dangereux et doit être enterré. Nous avons altéré la nature même de la matière.

Grâce à l'éprouvette et à la couveuse, on peut déjà remplacer la mère dans le premier et le troisième trimestre de la grossesse ; reste à régler le problème de la centaine de jours au milieu. Or, au cours de ce deuxième trimestre critique, non seulement le bébé absorbe les anticorps de sa mère, qui le protégeront toute sa vie contre des maladies, mais son cerveau se développe et se transforme grâce à ses innombrables échanges avec le corps maternel.

L'enfant devient humain parce qu'il a grandi dans un corps humain, avec tout ce que cela implique d'émotions, de rythmes, de mouvements inattendus, de régularités et d'irrégularités. En somme, il faudrait inventer une machine qui *serait,* tout simplement, un corps de femme : une machine douce et chaude, pleine de gargouillements et de hoquets, une machine qui marche et court, s'assoit et boit, mange et digère, fait l'amour, se met en colère, travaille, dort, respire et rêve…

Même s'il arrive que, comme Beckett, on se sente à l'étroit dans le ventre d'une mère vivante, ce ventre vaut quand même mieux qu'une boîte en verre et en métal, imprégnée du fantasme de maîtrise.

Toujours la maîtrise doit être contrebalancée par le mystère. Chassez le mystère, il vous restera Kolyma, Sobibor, Fort McMurray, Sabra et Chatila.

Aucun mystère n'est plus vertigineux que celui-ci : les femmes, et elles seules, mettent au monde les enfants.

C'est un mystère qui a toujours terrifié les hommes. Ce qui les terrifie, c'est de voir à quel point sont matérielles leurs origines. À quel point est fragile leur possession d'une âme. Et à quel point est aléatoire leur présence sur la Terre... puisque, pour de vrai, elle aurait pu ne pas être.

Un jour, dans la cinquantaine déjà, tu subiras une hystéroscopie. (Pas une hystérectomie, une hystéro*scopie*. Il ne s'agit pas d'enlever ton utérus mais de le regarder.) Tu es curieuse de voir à quoi ressemble cet organe. "Avant l'examen, t'explique le médecin, il ressemble à un ballon dégonflé, dont un côté est collé à l'autre." Pour le gonfler, il verse dans ton utérus un demi-litre de sérum physiologique. Puis il y plonge sa caméra…

Et allons-y, messieurs-dames, tout le monde à bord, on va faire un tour dans la Maison des terreurs kundériennes! Le Tunnel des cauchemars sartriens! On va cheminer parmi des stalactites roses battantes, des parois lisses et luisantes, des muqueuses à gogo!! Voici donc la pente sur laquelle, même s'ils ont du mal à l'admettre, tous les humains ont glissé!

Vu que l'on ne *peut,* littéralement, comprendre la raison pour laquelle le seul corps féminin fabrique des bébés (l'unique "raison" étant l'évolution des espèces), ce corps fécond va devoir être transformé.

Le mystère étant *dedans,* on va le mettre *dehors.* Le mystère se déroulant dans la noirceur des profondeurs, on va braquer une lumière forte sur la surface.

Ainsi les femmes seront-elles transformées, et se transformeront-elles, en mensonges, en apparences, en objets.

Effet faux cils! proclame une publicité de mascara. Les faux cils qui cherchent à avoir l'air vrai, c'est vieux jeu. Tendance : les vrais qui cherchent à passer pour faux. Plus c'est faux, mieux ça vaut.

Effet faux seins! bientôt chez vous.

Seules de toutes les femelles primates, les humaines retravaillent leur apparence dès la prime jeunesse. On les encourage à se maquiller, à changer de couleur de cheveux, à effacer leurs rides, à faire découper de leur ventre de gros morceaux de gras pour les recoudre sur leurs fesses.

Ce travail de la surface peut les plonger dans un état très féminin d'excitation, un état fait de battements de cœur, de rosissements et de pâmoisons.

Il peut aussi leur donner un sentiment d'imposture et de culpabilité.

Certes, on ne naît pas menteuse, on le devient. Mais, dans nos sociétés comme dans les autres, la majorité des femmes semblent trouver important, avantageux, voire indispensable (même si pas toujours agréable) de prendre part au mensonge.

"Je me rappelle l'instant où ce mensonge a démarré dans ma vie, écrit Anne Truitt dans son *Livre des jours*. J'étais dans la chambre de ma mère, debout devant une glace de trumeau à bords dorés. C'était le début de l'après-midi. La journée était ensoleillée. Il faisait chaud. Je portais un sous-vêtement en batiste blanche, d'une seule pièce, avec un pan qui se rabattait. Le col et les manches étaient bordés d'un étroit liseron de dentelle ; d'autres dentelles, froncées par un élastique, se retrouvaient autour de mes jambes. On m'habillait pour une fête. Ma robe, nuage blanc translucide, était étalée sur le lit derrière moi. Ma mère et ma nourrice me prêtaient une attention toute nouvelle, de la même saveur que celle que l'on me prête aujourd'hui lors de mes vernissages. Elles coiffaient mes cheveux fins, d'un blond presque blanc, en une longue boucle qui devait commencer dans la nuque, passer par le sommet du crâne et se terminer au milieu du front. Elles brossaient mes cheveux vers le haut, les aspergeaient d'un peu d'eau pour les faire tenir, les brossaient à nouveau. Totalement artificielle, la boucle ne pouvait sembler que contrainte et forcée. Sommée de ne pas bouger, intriguée par leur détermination excitée (aux antipodes de l'attitude pragmatique qui régnait d'ordinaire dans la maisonnée), je m'adressai à mon image dans le miroir*."

Devenir femme, c'est, entre autres, apprendre à jouer la femme, être consciente des regards que l'on porte sur votre corps, et faire semblant de ne *pas* l'être tout en montrant clairement que vous l'êtes.

Anne Truitt de poursuivre : "Pour autant que je puisse m'en souvenir, je ne m'étais jamais vue auparavant. Dans l'ensemble, j'approuvais mon apparence ; mon sentiment vis-à-vis de mon corps me semblait correspondre à peu près à ce que je voyais. Le fait est que j'étais intéressée, et j'aurais été bien contente qu'on me laissât me regarder tranquillement. Mais les pépiements au sujet de la boucle se poursuivaient, et je commençai à éprouver un malaise. On ajoutait quelque chose à mon corps. On voulait que je sois plus, et le « plus » était cette boucle. Je me mis à désirer la boucle moi aussi, et, pendant qu'elles travaillaient pour l'y coller, j'éprouvai pour la première fois une angoisse nauséeuse. Mon « moi » sain s'estimait complet sans boucle, et reconnaissait clairement que l'on me rendait ridicule. Mais le fait d'être louée me fascinait. Ma joliesse faisait danser toute la chambre. Je savais que je n'avais rien fait d'autre que rester là debout. Mais voilà : je me mis à vouloir plaire pour être louée. Rien que pour goûter la doucereuse saveur de la louange, je me mis à jouer ce rôle, à accepter ce que je ne désirais pas, ce que je ne croyais même pas être dans mon intérêt, à participer au mensonge selon lequel j'étais quelqu'un de spécial."

La jolie jeune femme n'a qu'à "rester là, debout", se montrer disponible… et cela fonctionne. C'est comme un miracle. Un conte de fées. La mutation pourra se produire. Elle n'aura plus ni classe sociale, ni famille, ni passé, ne sera plus que ce diamant éphémère : une belle jeune femme. Les spécialistes retravailleront son corps et son visage, coifferont ses cheveux et coudront ses vêtements, la transformant en une poupée étrange, grande et élancée, maigre et chic et asexuée.

"J'aime porter des robes très moulantes, très serrées, dit Zahia, la dessinatrice de lingerie fine, parce qu'elles me permettent de faire des petits pas*." De grâce, restreignez ma liberté. Ôtez-moi le poids de l'authenticité, je n'en ai que faire…

Elle portera des talons tellement hauts qu'elle pourra à peine marcher ; les mèches de ses cheveux crêpés et laqués se dresseront autour de sa tête tel un soleil rose ou bleu ou pourpre : ensuite, si tout va bien, elle sera "aimable" et "aimée", "adorable" et "adorée". Mieux, elle sera royalement rémunérée. Une fille de seize ans qui parvient à durcir le pénis d'un chef d'État italien, rien qu'en remuant ses hanches et en faisant sautiller ses seins, peut "gagner" des milliers d'euros en une seule soirée.

Tout cela est parfaitement incroyable et pourtant vrai.

Un jour d'été, assise tranquillement à Paris Plage avec le Peintre pour écouter un petit orchestre brésilien, ton regard sera attiré par une adolescente : visage aux beaux traits réguliers, cheveux mi-longs et lisses, short en jean, grosses sandales, regard direct. Autant que par sa beauté androgyne, tu es fascinée par son attitude décontractée, ouverte et sans simagrées.

Hélas, après discussion avec le Peintre, tu seras obligée d'admettre que cette fille est un garçon. IMPOSSIBLE pour une fille, à quatorze ans, d'être à ce point à l'aise dans ses mouvements, à ce point indifférente aux regards sur son corps. Pourquoi ? Parce que son corps contient un utérus. Parce qu'il est le corps violable, le corps fécondable, le corps mystère, l'*Origine du monde*.

C'est cela la source de la coquetterie féminine, même si l'on fait tout – mais alors vraiment *tout* – pour l'oublier.

Pour une femme qui souhaite faire de l'art, le souci de son apparence est plus rédhibitoire que la maternité.

Anne Truitt se mariera et deviendra mère, puis se consacrera puissamment à son travail de sculpteur, se libérant à jamais de la "boucle" aliénante et des robes blanches. "Sans la discipline solide conférée par le fait d'avoir un mari et des enfants, écrira-t-elle à l'approche de la soixantaine, j'aurais pu dissiper mes énergies sur les bords de mes aspirations*."

La course à la beauté conduit énormément de femmes à dissiper leurs énergies (et leur temps, et leur argent) sur les bords de leurs aspirations.

L'art te sauvera, Dorrit, comme il a sauvé Anne Truitt. L'écriture te sortira du spot sous lequel tu te bronzais, petite, *mignonne et maligne*, et te conférera une solitude protectrice.

Elle détournera de ton apparence ta propre attention.

Grâce au mouvement hippie d'abord, au mouvement des femmes ensuite, grâce aussi à tous ceux qui soutiendront ton désir d'écrire (singulièrement le père de tes enfants), tu réussiras à t'arracher au marathon meurtrier de la Féminité.

Du coup, c'est dans tes livres et non à la surface de ton corps que tu exploreras les joies du déguisement.

Ça y est, c'est imminent : tu vas bientôt débarquer sur la scène du monde.

Si, au-dedans, tu es déjà hypersensible aux bruits qui émanent des parents, au dehors, tu seras le compteur Geiger de leur radioactivité. Sont-ils de bonne humeur aujourd'hui ? Rient-ils, chantent-ils, s'enivrent-ils, à quoi jouent-ils ? Bridge, poker, whist, cribbage, amour ? Vos maisons sont petites, et leurs cloisons, minces.

"Ils se disputent ?" demanderas-tu un jour à Stephen, quand il revient au jardin de rocailles après s'être aventuré dans la maison pour aller aux toilettes. "Ouais, répondra-t-il en soupirant. J'ai l'impression qu'on va dîner tard." Le soleil décline dans le ciel, toi aussi tu as besoin de faire pipi, mais tu as peur de te faire crier dessus si tu entres dans la cuisine pendant qu'ils s'engueulent. Alors tu t'accroupis derrière un buisson et te soulages dans une tasse de jardinage en fer-blanc.

Ce n'est pas qu'ils se disputent tout le temps, c'est qu'ils se disputent une partie du temps. C'est presque pire parce que c'est toujours inattendu. Impossible de s'y préparer, de s'en protéger.

Pour des protestants, ils sont assez passionnés : cris et chuchotements à gogo. Une dizaine d'années plus tard, ta peur tenace de leurs crescendos et diminuendos t'amènera à abandonner le piano pour le clavecin.

Louise Bourgeois : "J'ai une véritable terreur de la zizanie. Je n'ai pas peur qu'on se dispute avec moi, j'ai peur de deux personnes qui se disputent – comme mon père et ma mère (…). Quand je collectionne des maisons vides, je me prouve à moi-même que, dans toutes ces maisons, personne ne se dispute*."

La voix de la mère s'insinuera en toi et, avec elle, son désespoir. Tu vois bien qu'elle est malheureuse, mais tu es impuissante à la consoler. Pour ce que tu peux en juger, les prières ne servent à rien.

Elle pleure. *"Cripes"*, dit-elle, parfois, en pleurant. Tu retiendras ce mot, euphémisme pour *Christ* qui sonne un peu comme *grapes*, raisins.

Jeune femme, tu consacreras deux années de ta vie à écrire un mémoire universitaire, puis un livre sur les jurons et les blasphèmes.

C'est cette année-là, Dorrit, l'année fatidique, l'année des Dragstra, que la mère, ayant peut-être une vague prémonition de ce qui l'attend, t'offre pour Noël... le magnifique *Livre d'or* à couverture rouge ! Poèmes, contes de fées, nouvelles et extraits de romans d'aventure, écrits par les plus grands auteurs de la tradition anglaise ! Jonathan Swift, Edward Lear, John Keats, Robert Louis Stevenson et bien d'autres ! Des histoires à profusion, avec de superbes illustrations pleine page, en couleur ou en noir et blanc.

Aucun livre au monde dont tu tourneras les pages plus souvent que celui-ci, petite Dorrit, aucun dont les mots et images laisseront une trace aussi profonde dans ta mémoire.

Alison inscrira ton nom sur le frontispice, à l'encre, en lettres d'imprimerie majuscules, et ajoutera au-dessous : *Noël 1958*. Plus tard, tu retraceras les mêmes mots au crayon noir, en lettres cursives : ton nom et *Noël 1958*, et encore, en lettres plus grandes, ton nom et *Noël 1958*.

Ton dernier Noël avec Alison.

Noël dépassé, l'hiver avance et, à mesure que les mois s'écoulent, tu verras les parents de moins en moins. Alison travaille d'arrache-pied à sa maîtrise en science politique ; Kenneth est très occupé à enseigner et à étudier et à faire assidûment la cour à une jeune Allemande du nom d'Alice. Folle d'angoisse, tu continues de lire et de réciter, d'écouter et d'apprendre, de chanter et de lutter, de geindre et de te morfondre, de danser et de plaire, de te ronger les ongles et de te sucer le pouce jusqu'au sang. Un jour, pendant le *Kaffe Klatch* après l'église, te voyant aborder des inconnues en murmurant à chacune : "Tu veux bien être ma maman ?", Kenneth se demande soudain si tu ne souffrirais pas d'un manque d'attention.

Il serre les mâchoires. Se dit qu'il va falloir procéder à quelques changements majeurs. Non, mais vraiment *majeurs*.

Une photo en noir et blanc dit tout : on y voit Alison, souriante, élégamment vêtue d'une étroite jupe sombre et d'un pull noir, la main droite lestée d'un porte-documents, longer d'un pas confiant le trottoir devant votre maison à Delton. Photo prise début mai 1959 : on vient de lui décerner son diplôme de maîtrise. Et ce n'est pas tout : l'université de Chicago lui a accordé une bourse pour entreprendre sa thèse de doctorat.

Pour une fois c'est elle que la famille devra suivre et non Kenneth ! Elle a vingt-huit ans moins un mois. Elle est fière, radieuse, éblouissante !

Un jour tu écriras, en français, un texte intitulé "A Tongue Called Mother".

"Le couple que forment les parents, écriras-tu dans ce texte, même dans les cas les plus banals, d'une vie conjugale stable, moyenne, médiocre, prévisible, est de toute façon perçu par l'enfant comme une alliance de créatures surhumaines et toutes-puissantes. Que le malheur y fasse irruption, que l'anomalie grave s'y produise, et cela devient grandiose : c'est le combat des Titans ; la guerre des Centaures contre les Amazones ; Héra et Zeus dont les chamailleries retentissent à travers les cieux ; le meurtre d'Agamemnon par Clytemnestre ; le suicide de Jocaste… S'ouvrent alors, béants devant l'enfant, les grands espaces vertigineux de la mythologie.

Depuis les origines du roman occidental, mais surtout depuis le siècle des Lumières et l'individualisme par lui promu au rang de valeur absolue, l'artiste est lui-même devenu héros. Les ressemblances sont frappantes : si l'on se penche sur un quelconque échantillon de biographies d'écrivains, on s'aperçoit vite que, tout comme Œdipe, Hamlet ou Antigone, ils ont pour ainsi dire tous vécu une anomalie, une catastrophe, une perte dévastatrice dans la jeunesse.

Un père est mort. Une mère est morte. Les deux sont morts. Ou séparés. Ou radicalement absents. En d'autres termes, le roman familial de ces individus est toujours-déjà hautement romanesque. Il se prête à merveille aux spéculations, aux fantasmes, aux révisions et aux ratures… en un mot, à l'écriture. Le mythe est né. Le héros-écrivain pourra puiser à l'infini dans son enfance, tel Homère dans le fonds mythologique grec, réécrivant son histoire à travers mille transpositions, projections, déplacements et symboles*."

Ce même jour… Oui, pas le lendemain mais *le jour même* de sa cérémonie de remise de diplôme, le père lui annonce la nouvelle de but en blanc. Nos enfants souffrent de manque d'attention, lui dit-il. Regarde Dorrit ! Elle passe son temps à geindre et à pleurnicher. Elle a le nez qui coule. Ses pouces sont tout couverts de croûtes. Chaque nuit, des cauchemars la réveillent. Regarde-la ! Elle a besoin d'une mère.

Il lance donc à son épouse féministe un ultimatum : soit tu restes à la maison avec les enfants, soit je mets une vraie mère à ta place.

Oui, il y a une autre femme dans sa vie, une femme qui est prête à devenir une mère pour ses enfants. À la différence d'Alison, Alice sait que la place d'une mère est à la maison. L'idéal serait que Kenneth puisse l'épouser. Les enfants grandiraient au sein d'un foyer stable et heureux. Ils cesseraient de souffrir. Qu'en pense-t-elle, la mauvaise mère, l'assoiffée de diplômes, la femme anormale, ambitieuse, dévorée par l'envie du pénis ?

Naturellement, Dorrit, tu ne sauras rien de cet ultimatum ; tu le reconstitueras au long des décennies, fragment par fragment. Quel que soit le nombre d'années qu'il te sera donné de vivre, tu les passeras à tenter de comprendre ce qui s'est passé au printemps 1959.

Dès qu'elle redeviendra capable de réfléchir, Alison réfléchira.

Certes, elle pourrait traîner Kenneth en justice. Étant donné que c'est lui le conjoint adultère, elle gagnerait le procès, obtiendrait la garde des trois enfants, exigerait qu'il lui verse une pension alimentaire… et dirait adieu à ses aspirations intellectuelles.

Ou alors elle pourrait

      ou alors

            ou alors elle pourrait

        les jeter par la fenêtre, la fenêtre, la fenêtre,
                    les jeter par la fenêtre…

     non   ou alors elle pourrait

      acquiescer.

Elle acquiesce.

"Me voilà enfin débarrassé de toi, MÈRE!" Quelques jours plus tard, le message griffonné par Kenneth sur la carte qu'il remet à Alison pour la fête des Mères (un 10 mai, cette année-là) suggère qu'il se laisse parfois submerger par le ressentiment. Il n'a pas oublié les absences de sa propre mère pendant son adolescence. Finalement, les deux femmes ont fauté de façon assez comparable : en refusant de se contenter de leur rôle de mère, elles ont rendu leurs enfants malheureux. Voilà pourquoi il a décidé de les confondre sous un même vocable… et de bannir l'une d'elles, celle qui partage son lit.

Été 1959 : moment difficile.

Vers la mi-juillet, les trois adultes concocteront un projet étrange mais émouvant : ensemble, ils amèneront les trois enfants en pique-nique pour leur expliquer la situation de façon aussi claire et concertée que possible. Il s'agit de leur montrer le bel accord qui règne entre eux.

Sous vos yeux, la mère cueillera un bouquet de marguerites et l'offrira à la future belle-mère. Chaque fois que tu songeras à ce tournant, plus tard, tu seras tellement émue par la douleur d'Alison que tu en oublieras la tienne.

Plus jamais tu ne prêteras foi aux apparences harmonieuses.

Quatre-vingt-dix pour cent de ton œuvre littéraire est contenue dans ce seul après-midi, un peu comme l'énergie nucléaire est compressée dans une bombe atomique. S'ensuivra une longue, lente, et silencieuse explosion de mots, avec d'infinies retombées radioactives.

Le jugement de divorce sera prononcé juste avant ton sixième anniversaire, avec la mère dans le rôle de la Plaignante et le père dans celui de l'Accusé. Drôle de jugement, en vérité, qui stipule, au premier paragraphe, que la responsabilité pour la dissolution du mariage est entièrement portée sur l'Accusé, qui, "depuis la célébration dudit mariage, s'est rendu coupable d'adultère", et précise, dans le deuxième, la punition qui en découle, à savoir que la garde des enfants reviendra à l'Accusé, "pourvu que la Plaignante ait un accès raisonnable auxdits enfants".

Personne ne semble avoir une idée bien claire de ce que signifie "accès raisonnable". Tu reverras la mère un an plus tard, après quoi tu ne la reverras plus du tout pendant quatre ans, après quoi tu la verras en moyenne une semaine par an jusqu'à l'âge adulte.

Plus jamais vous n'habiterez à moins de cinq cents kilomètres l'une de l'autre ; le plus souvent, cette distance sera de l'ordre de cinq mille.

Aussitôt après le jugement de divorce, tu inventeras tes premiers personnages. Groupe de gens invisibles nommés "les amis Trixi", ils t'accompagneront partout et t'imposeront des règles de conduite strictes. Ta façon de parler, de manger, de roter, d'uriner et de dormir sera par eux pointilleusement surveillée. Tu devras par exemple dormir exclusivement sur le côté gauche, et demander pardon cinq fois de suite à voix basse pour effacer l'ardoise après un rot ou un pet[1].

Tu es persuadée d'avoir choisi le nom Trixi parce que ça sonne bien, mais le mot est sémantiquement riche. Trixi, c'est le bébé sympa, bêtasse, à grosse couche, dans *Hi and Lois,* bande dessinée hebdomadaire qui raconte les chamailleries sans conséquence d'un couple banal de la classe moyenne comme tes parents n'ont pas su le devenir. Par ailleurs, *Trixi* est phonétiquement proche de *trick,* ruse, et de *trickster,* filou.

---

1. Personne n'a dépeint les terreurs de ce type de dictature intérieure avec plus de puissance que Joanne Greenberg dans son roman *Jamais je ne t'ai promis un jardin de roses* (1964).

De façon astucieuse, le mot combine donc l'innocence apparente (le bébé) et la manipulation réelle (le filou)… Soit une description parfaite de *toi,* telle que tu te perçois dorénavant.

La famille entre en entropie.

La mère monte dans un train. C'est de Chicago qu'elle te postera ta carte d'anniversaire, qui arrivera avec un peu de retard.

Ensuite, pendant que le père, tout en travaillant avec acharnement à son propre diplôme de maîtrise, déménage avec Stephen et change d'emploi une fois de plus, la future belle-mère vous embarquera, toi et la petite Louisa, pour l'Allemagne. Là-bas, Dorrit, en l'espace de quatre petits mois, tu recevras une nouvelle identité. Au lieu de geindre et de pleurer en anglais, tu apprendras à coudre et à te couper les ongles et à chanter et à prier en allemand.

Ainsi, alors que la future belle-mère avait quitté Edmonton avec une Dorrit névrosée et nerveuse, elle y reviendra avec une Dorrit dotée d'excellentes manières de table et d'une personnalité charmante, douce, obéissante, coopérative, germanophone et totalement dissociée.

Quelques jours à peine après votre retour d'Allemagne, ton papi pasteur méthodiste unira par les liens sacrés du mariage son fils unitarien divorcé et l'Allemande catholique romaine avec qui il faute depuis de longs mois.

Tu assisteras, Dorrit, à cette cérémonie de mariage, mais t'arrangeras, la semaine d'après, pour attraper une maladie qui t'évitera d'avoir à assister à la fête des noces. Les oreillons, en anglais *the mumps*. Comme si, décidément, tu souffrais d'un excès de *mums*, de mamans… et que cela te gonflait.

Une fois recomposée, la famille se demande : à quels saints se vouer, à quelle église prier ? Réfléchissons… À mi-chemin entre unitarien et catholique ? Eh bien, pourquoi pas… anglican ? Parfait. Baptisés à l'église unitarienne seulement deux ans plus tôt, les trois enfants seront rebaptisés à l'église anglicane.

Multiplions leurs chances, ça ne peut pas faire de mal…

Tes grands-parents paternels prennent votre éducation religieuse au sérieux. En vacances chez eux, vous endurerez une forme inédite de torture qui s'appelle la *prière en famille*. Pendant une demi-heure chaque matin après le petit-déjeuner, on vous oblige à rester immobiles, tandis que le grand-père lit l'office du jour dans un périodique intitulé *La Chambre haute* : un chapitre des Évangiles ; une série de questions/ réponses pour en décortiquer le sens ; des exemples issus de votre propre expérience ; les leçons morales qu'il faut en tirer.

Le pire vient à la fin : il vous faut joindre les mains, baisser la tête et écouter tandis que le grand-père pasteur se met à prier, demandant à Dieu de bien vouloir se pencher sur le cas d'un tel ou d'une telle, pour telle ou telle raison… puis, dans un tour de table, chacun doit rajouter sa prière personnelle. Tu as toujours peur de ne rien trouver, ou que, si tu as une idée, Stephen aura la même et la dira avant toi, te fauchant l'herbe sous le pied de sorte que, frappée de mutisme, tu devras rester assise à cette table à tout jamais, te raclant les méninges à la recherche d'un malheureux pour qui prier…

Aux antipodes de la prière familiale, le roman est mouvement. Il se meut, et il t'émeut. En silence et en secret, grâce à la lecture, des histoires se tissent dans ta tête. Tu es seule et pourtant en compagnie merveilleuse. Tu lis et lis et lis et lis et lis et lis et lis et lis et lis.

(Ta tante Constance, la missionnaire, te dira un jour pourquoi elle ne lit jamais de roman : c'est qu'elle possède un Livre inépuisable, si riche qu'il rend tous les autres superflus.)

Mais contre toute attente, *La Chambre haute* te sera elle aussi classe de littérature.

Il te faudra des années, et quelques belles lectures en philosophie, pour reconnaître qu'un peu de sagesse avait pu se nicher malgré tout dans les bénédicités et offices de ton enfance. "Un homme bien irrité se met à genoux pour demander la douceur, écrit Alain dans ses *Propos sur le bonheur,* et naturellement il l'obtient, s'il se met bien à genoux ; entendez s'il prend l'attitude qui exclut la colère. [...] Les hommes ont subi longtemps les passions avant de soupçonner que les mouvements du corps humain en étaient la cause, et qu'ainsi une gymnastique convenable en était le remède*."

Tu préserveras toute ta vie ce moment ritualisé de l'après-petit-déjeuner, en mettant le yoga à la place des lectures lénifiantes.

Pourquoi le fait de joindre les mains, de fermer les yeux et de libérer la nuque dans la position *namasté* du yoga serait "bien", et dans la position *prière* du christianisme, "stupide"? Pourquoi l'encens de la méditation transcendantale serait bon, celui de la messe, écœurant? Pourquoi le son des cloches bouddhistes serait beau, celui des cloches catholiques, agressif?

Oui, c'est utile de passer un moment chaque jour à se centrer, à se focaliser, à exclure le monde. C'est bien de savoir créer un espace sacré…

Sans sacré, on ne peut rien écrire de valable.

Personne ne remarque qu'à force de lire, ta vue baisse. À sept ans, les livres sont la seule partie du monde qui te paraît réelle, car les mots sont assez proches pour que tu les voies. Le reste se perd un peu dans le brouillard.

Enfin, quand tu auras huit ans, le père t'achètera des lunettes. L'effet sera exactement celui décrit par Anne Truitt :

"J'ai été abasourdie par le détail. Les feuilles étaient particulièrement surprenantes : si distinctes, si séparées. J'ai été catapultée dans un monde entièrement neuf, comme si je venais de renaître. Il me fallait tout repenser [...]. Ce qui me frappait, c'était la clarté, la précision et la multiplicité des choses individuelles. Jusque-là, le monde était une sorte de tache floue et mouvante, attirante, un défi qui se présentait comme une énigme dont je devais deviner le sens. Je l'avais toujours senti à distance et, de fait, c'est ainsi que mes sens me le montraient : à six mètres, je voyais ce que les autres voyaient à cent. Tout un univers avait été ainsi échafaudé sur la base d'informations imparfaites. Plus j'y pense, plus ce fait me semble être la colonne dorsale autour de laquelle s'est organisée ma vie des premières années. Cela a dû avoir pour effet de me rendre égocentrique au sens propre. Je ne fonctionnais avec assurance qu'à l'intérieur d'un cercle très restreint*."

Quand tu n'es ni à l'école ni dans la rue, tu ôtes tes lunettes pour continuer de lire.

Tu adores les mots longs car ils t'arriment plus solidement que les mots courts. Tu apprends le mot le plus long de la langue anglaise : *antidisestablish-mentarianism* (vingt-huit lettres, alors qu'en français, *anticonstitutionnellement* n'en comporte que vingt-six). La nuit dans ton lit, tu l'épèles inlassablement, à l'endroit et à l'envers, car tu n'aimes pas dormir (jamais, Dorrit, tu ne seras douée pour le sommeil). Quand sortira en 1964 le film *Mary Poppins*, le père achètera le disque et tu apprendras par cœur la chanson *Supercalifragilisticexpialidocious*.

Une autre chanson, que tu apprendras avec ta sœur Louisa et que vous chanterez ensemble des centaines de fois, raconte l'histoire d'un petit Chinois à qui, comme c'était alors la coutume pour le fils aîné, le préféré, on a donné un nom interminable. Un jour, ce pauvre garçon tombe dans un puits et manque se noyer parce que son frère cadet (qui s'appelle Tchang) met si longtemps à expliquer le problème :

À l'aide!! De grâce! À l'aide! Mon frère,
Ticki Ticki Timbo No Sarembo,
Hoi Poi, Buski Poï,
Panda Hicki Pam Pa Nicki,
No Me Adam Poï,
est tombé au fond du puits!!

Il est fréquent, dans les chansons, poèmes et ber-
ceuses, qu'un enfant meure ou manque mourir. Tu
seras fascinée par les contes macabres de Heinrich
Hoffmann : Augustus qui dépérit parce qu'il refuse
de manger sa soupe, Konrad dont le Grand Tailleur
coupe les pouces parce qu'il ne peut s'empêcher de
les sucer, la petite fille qui joue avec des allumettes
et est brûlée vive dans un incendie...

Et tu chantes et tu chantes, et tu reviens chaque jour au piano, comme si la mère était cachée à l'intérieur de l'instrument, et, de longues années plus tard, à lire dans *Pierre ou les Ambiguïtés* de Melville, l'incantation de la belle et brune Isabelle devant sa guitare, tu pleureras.

"Le nom secret de la guitare me transporte, me transporte, me donne le vertige, le vertige ; si secret, si parfaitement caché et pourtant toujours présent ; inaperçu, insoupçonné et vibrant toujours parmi les cordes cachées du cœur, parmi les cordes brisées du cœur ; oh! ma mère, ma mère, ma mère! [...] Je n'en ai pas la moindre preuve, mais la guitare était à elle, je le sais, je le sens. Dis-moi, ne t'ai-je pas conté la nuit dernière comme la guitare chanta pour moi sur mon lit, comment elle me répondit sans que je la touchasse une seule fois, et comment, depuis lors, elle a toujours chanté pour moi, comment elle m'a toujours répondu, apaisée, aimée?*"

Et la guitare qui est sa mère de lui répondre : "Mystère! Mystère! Mystère d'Isabelle! Mystère! Mystère! Isabelle et Mystère! Mystère!"

À travers le piano, tu resteras en contact imaginaire avec Alison, mais ce ne sera pas un contact apaisant comme celui d'Isabelle avec le mystère de la guitare. Ce sera une supplication permanente et vaine, car… comment ne pas se sentir nulle quand votre mère vous quitte ? Cela n'arrive jamais, qu'une mère quitte son enfant. C'est donc que l'enfant en question doit être nulle. Oui, tu mérites tout le malheur qui t'arrive, *bad girl*, même si tu ne sais pas pourquoi. Peut-être est-elle partie justement parce que tu jouais mal du piano ? ou parce que tu rotais trop fort ? ou parce que tu ne savais pas lacer tes souliers avec un joli nœud ? ou parce que tu mangeais trop de bonbons à la menthe ? ou parce que tu n'as pas appris à lire à l'âge de deux ans ? ou parce que tu as commis un autre péché, pire encore, mais tu ne sais plus lequel, tu as oublié.

Et même si Alison fera de son mieux, non, fera l'impossible pour rester proche de ses trois enfants lointains, les assurant, lettre après lettre, qu'elle les aime, qu'ils lui manquent, et qu'elle espère les retrouver bientôt, vous ne lui répondrez que rarement. Elle reprochera au père de ne pas tenir sa part de l'accord, de ne pas lui donner un "accès raisonnable" aux enfants… mais le fait est que des enfants de trois, six et huit ans ont du mal à entretenir une correspondance régulière dans laquelle ils racontent leur vie par le menu.

La mère sombrera dans une dépression qui ruinera son année universitaire.

Par bonheur, le temps passe.

Elle quittera Chicago pour New York. Peu à peu, ses lettres se feront plus longues, plus fortes, plus courageuses.

Tu lis et tu lis et les voix des gens se déversent en toi, tu sautes une classe à l'école et tu lis et tu obéis à tes amis Trixi et tu prends des cours d'allemand le samedi matin, Alice met au monde deux enfants la même année, un en janvier et un autre en novembre ; sans enfant à vingt-cinq ans, elle en a *cinq* deux ans plus tard, dont trois traumatisés, c'est fatigant, elle contracte une double pneumonie, le père se démène en tous sens pour empêcher le navire de couler, pas étonnant qu'ils aient peu de temps pour toi indivi-duellement, alors tu chantes et tu chantes et joues du piano et écoutes des disques, d'abord Nat King Cole puis Gershwin puis, assez rapidement, les Beat-les, la mère quitte New York pour Londres et tu lis et tu lis, tu écoutes et accueilles en toi les person-nages des bandes dessinées et des contes de fées et des romans, de plus en plus de romans, les person-nages te disent ce que tu dois faire, ou te demandent ce que tu deviens, ou te jurent que tu leur manques, et qu'ils t'aiment et te désirent, bientôt Dylan, les Beatles et les Stones se mettront à chanter *I want you* et tu commenceras à être mignonne et coquette et faussement modeste, et la mère quittera Londres pour Madrid, puis Majorque, ses lettres regorgeront de coutumes et de climats exotiques, de châteaux et de corridas, fête de Guy Fawkes à Londres, canicules et calamars à Madrid, ainsi deviendra-t-elle l'héroïne préférée de ton roman préféré, tu t'observeras en permanence pour ne pas oublier des détails qui, dans tes réponses à ses lettres, pourraient l'intéresser, l'inciter à t'aimer et à penser à toi et à vouloir te revoir, c'est ainsi que, peu à peu, tu transformeras ta vie quotidienne en roman, t'efforçant, tâche ardue, de rendre tes descriptions aussi palpitantes que les siennes, elle quittera Majorque pour Montréal, se remariera et mettra au monde deux autres enfants, mais ses lettres, cartes et cadeaux continueront d'arriver, ils te suivront dans tes propres déménagements, chère Dorrit, ma douce petite Dorrit, comment vas-tu ma gentille Dorrit adorée ? Ses lettres t'aideront à rester en vie, et quand, plus tard, tu te mettras à écrire des livres, la deuxième personne sera toujours celle que tu préfères, étant donné qu'il n'y a pas assez de place dans le monde pour *je*, et que *il* et *elle* mettraient trop de distance entre toi et tes personnages bien-aimés, tu veux leur parler tout le temps, comme s'ils étaient dans la pièce avec toi, c'est pourquoi, livre après livre, tu diras *you, you, you* et *tu, tu, tu*, et il en ira de même, Dorrit, pour ce livre-ci, où ta vie elle-même sera transformée en lettre, et toi, veux, veux pas, drôle de petit chamois vaillant devenu dame vieillissante, en femme de lettres.

Hormis le lieu et la date, tu ne connaîtras jamais les faits les plus simples concernant ta naissance. L'heure? Accouchement rapide ou interminable? Plus douloureux, ou moins, que le premier? Anesthésie locale ou générale?

Et où était Kenneth pendant ce temps : à l'hôpital? à la maison avec Stephen? dans une autre ville, en train de grappiller des sous pour votre entretien?

Plus tard, tu poseras timidement ces questions à qui voudra les entendre, mais les réponses seront toujours vagues ou évasives. Le père hésitera longuement. "Je me rappelle ta jolie petite frimousse", dira-t-il enfin.

À quarante ans, retournant dans ta ville natale de Calgary vingt-cinq ans après l'avoir quittée, tu appelleras l'hôpital pour demander l'autorisation de consulter ton dossier. Tu préciseras la date de ta naissance. On te répondra que les dossiers de cette époque ont été implosés.

Le terme te paraîtra singulièrement littéraire. Comment fait-on pour *imploser* des dossiers médicaux?

Alors, prête, mon cœur ? prête, mon trésor ? Sachant ce qui t'attend, tu es prête à venir au monde ? Prête à vivre ?

Tu as intérêt à l'être, car ta maman *n'en peut plus* de cette grossesse. Elle veut que tu dégages maintenant, et plus vite que ça. Ayant été conçue fin décembre, tu n'es pas attendue avant la fin septembre mais, un soir, après un jeu de poker, elle propose que tous les joueurs parient sur ta date de naissance. Chacun misera dix dollars, et celui qui aura deviné au plus près emportera le pot. Alors ils misent tous.

— 25 septembre ! dit l'un.

— 29 septembre ! dit l'autre.

— 31 septembre ! dit Kenneth.

— Très drôle, dit Alison.

— 13 octobre ! dit un quatrième.

— Si t'as raison, je te tue, dit la mère.

Les billets de dix s'entassent. La mère, qui mise en dernier, nomme une date toute proche : le surlendemain, date qui se trouve être le soixantième anniversaire de ton grand-père paternel.

Et l'heureux gagnant sera... la mère !

Seul le père saura qu'elle a triché. La manière qu'elle a choisie pour le faire n'a pas dû être très agréable pour toi, Dorrit… mais, bon, à la guerre comme à la guerre, hein?

Le lendemain de ce pari, retroussant ses manches, se nouant un foulard autour des cheveux, elle a lavé tous les sols de la maison à quatre pattes.

Allez, ouste, petite. Sors-toi de là!

Bienvenue au monde.

*Tout ceci doit être considéré comme dit
par un personnage de roman.*

Roland Barthes

NOTES BIBLIOGRAPHIQUES

Les traductions, dans le texte, des citations d'ouvrages étrangers non traduits en français sont de l'auteur.

*

Page 21.
* *L'Événement,* Gallimard, 2000, p. 82.
Page 24.
* Cité *in* John McEwan, *Paula Rego : Behind the Scenes*, Phaidont, Londres et New York, 2008, p. 56.
Page 25.
* Annie Ernaux, "Un petit baigneur... sacrifice", *L'Événement, op. cit.*, p. 90-99.
Page 36.
* William Shakespeare, *Le Songe d'une nuit d'été*, acte III, scène II, trad. fr. Didier Guizot, 1862.
Page 41.
* Mahmoud Darwich, "Deux faons jumeaux", in *Le Lit de l'étrangère,* poèmes traduits de l'arabe (Palestine) par Elias Sanbar, Actes Sud, 2000, p. 28.
Page 43.
* *Would You Have Sex with an Arab?*, 2010.
Page 68.
* Anne Truitt, *Daybook* (Le livre des jours), Penguin, New York, 1982, p. 72-73. Il s'agit du premier tome de la trilogie *The Journal of an Artist* (Le journal d'une artiste).

Page 99.

* Samuel Beckett, *Dream of Fair to Middling Women*, Calder Press, Londres / Black Cat Press, New York, 1992.

Page 100.

* Samuel Beckett, *Souffle*, in *Film*, suivi de *Souffle*, Minuit, 1972.

** Nancy Huston, *Limbes/Limbo*, Actes Sud, 2000, p. 15.

Page 101.

* Cité *in* James Knowlson, *Beckett*, Solin/Actes Sud, 1999, p. 240.

** Nancy Huston, *Professeurs de désespoir*, Actes Sud, 2004, p. 72.

Page 113.

* Daniel Kahneman, *Thinking, Fast and Slow*, Allen Lane, Londres, 2011, p. 387.

Page 120.

* Antonio R. Damasio, *L'Erreur de Descartes. La raison des émotions,* Odile Jacob, 2010, chap. i-iii.

Page 143.

* Cité *in* Marie-Laure Bernadac et Hans-Ulrich Obrist, éd., *Destruction of the Father/Reconstruction of the Father : Writings and Interviews 1923-1997,* MIT Press, Cambridge, Massachusetts, 2005, p. 21.

Page 146.

* Romain Gary, *La Promesse de l'aube*, Gallimard, 1960, remanié en 1980, p. 232.

Page 147.

* Nancy Huston, *Journal de la création*, Seuil, 1990, repris chez Actes Sud en Babel, p. 325.

Page 149.

* Nancy Huston, *L'Espèce fabulatrice*, Actes Sud/Leméac, 2008, p. 24.

Page 166.

* Samuel Beckett, *Compagnie,* Minuit, 1980, p. 83.

Page 177.

* Romain Gary, *La nuit sera calme,* Gallimard, 1974, p. 319.

Page 185.

* Dans l'adaptation du roman *Yuloratoriet* par le cinéaste suédois Kjell-Ake Andersson (1996).

Page 187.

* Nancy Huston, *Ta belle mort*, Le Cadratin, Vevey, Suisse, 2008.

Page 188.

* Ingeborg Bachmann, poème "Enigma", cité in *Les Cahiers du Grif*, n° 35, printemps 1987.

Page 191.

* Cité *in* Geneviève Brisac et Agnès Desarthe, *V. W.*, L'Olivier, 2004, p. 79.

** Simone Weil, *La Pesanteur et la Grâce,* chap. XXXIII, "Beauté", et XXXVIII, "L'harmonie sociale", Plon, 1947.

Page 192.

* Virginia Woolf, "Réminiscences", in *Moments of Being* (Instants de vie), The Hogarth Press, Londres, 1976.

Page 205.

* Marilyn Monroe, *Fragments,* Seuil, 2010, p. 85, 81.

Page 207.

* Anaïs Nin, *Journal de jeunesse*, Stock, 2012, 25 novembre 1922, p. 765.

Page 218.

* Anne Truitt, *Daybook, op. cit.,* p. 45-46.

Page 221.

* *Zahia de Z à A*, documentaire de Hugo Lopez, 2013.

Page 224.

* Anne Truitt, *Daybook, op. cit.,* p. 220.

Page 226.

Louise Bourgeois, film de Camille Guichard, Arte Vidéo, 2008.

Page 232.

* Nancy Huston, *Désirs et réalités*, Actes Sud/Leméac, 1995, p. 67.

Page 243.

* Alain, *Propos sur le bonheur*, Gallimard, 1928, p. 46.

Page 246.
* Anne Truitt, *Daybook, op. cit.,* p. 88.
Page 250.
* Herman Melville, *Pierre ou les Ambiguïtés*, Gallimard, 1967,
    p. 179-180.

DU MÊME AUTEUR

ROMANS, RÉCITS, NOUVELLES

Les Variations Goldberg, romance, Seuil, 1981 ; Babel n° 101.

Histoire d'Omaya, Seuil, 1985 ; Babel n° 338.

Trois fois septembre, Seuil, 1989 ; Babel n° 388.

Cantique des plaines, Actes Sud/Leméac, 1993 ; Babel n° 142 ; "Les Inépuisables", 2013.

La Virevolte, Actes Sud/Leméac, 1994 ; Babel n° 212.

Instruments des ténèbres, Actes Sud/Leméac, 1996 ; Babel n° 304.

L'Empreinte de l'ange, Actes Sud/Leméac, 1998 ; Babel n° 431.

Prodige, Actes Sud/Leméac, 1999 ; Babel n° 515.

Limbes/Limbo, Actes Sud/Leméac, 2000.

Dolce agonia, Actes Sud/Leméac, 2001 ; Babel n° 548.

Une adoration, Actes Sud/Leméac, 2003 ; Babel n° 650.

Lignes de faille, Actes Sud/Leméac, 2006 ; Babel n° 841.

Infrarouge, Actes Sud/Leméac, 2010 ; Babel n° 1112.

Danse noire, Actes Sud/Leméac, 2013 ; Babel n° 1316.

Bad Girl. Classes de Littérature, Actes Sud/Leméac, 2014.

Le Club des miracles relatifs, Actes Sud/Leméac, 2016.

LIVRES POUR JEUNE PUBLIC

Véra veut la vérité (avec Léa), École des loisirs, 1992.

Dora demande des détails (avec Léa), École des loisirs, 199 ; réédité en un volume avec le précédent, 2013.

Les Souliers d'or, Gallimard, « Page blanche », 1998.

Ultraviolet, Thierry Magnier, 2011 ; repris dans une édition avec CD, 2013.

Plus de Saisons !, Thierry Magnier, 2014.

ESSAIS

Jouer au Papa et à l'Amant, Ramsay, 1979.

Dire et interdire. Éléments de jurologie, Payot, 1980 ; Petite bibliothèque Payot, 2002.

Mosaïque de la pornographie, Denoël, 1982 ; Payot, 2004.

À l'Amour comme à la Guerre. Correspondance (en collaboration avec Samuel Kinser), Seuil, 1984.

Lettres parisiennes. Autopsie de l'Exil (en collaboration avec Leïla Sebbar), Bernard Barrault, 1986 ; J'ai lu, 1999.

Journal de la création, Seuil, 1990 ; Babel n° 470.

Tombeau de Romain Gary, Actes Sud/Leméac, 1995 ; Babel n° 363.
Désirs et réalités. Textes choisis 1978-1994, Leméac/Actes Sud, 1995 ;
Babel n° 498.
Nord perdu suivi de *Douze France*, Actes Sud/Leméac, 1999 ; Babel
n° 637.
Âmes et Corps. Textes choisis 1981-2003, Leméac/Actes Sud, 2004 ;
Babel n° 975.
Professeurs de désespoir, Leméac/Actes Sud, 2004 ; Babel n° 715.
Passions d'Annie Leclerc, Actes Sud/Leméac, 2007.
L'Espèce fabulatrice, Actes Sud/Leméac, 2008 ; Babel n° 1009.
Reflets dans un œil d'homme, Actes Sud/Leméac, 2012 ; Babel n° 1200.
Carnets de l'incarnation, Leméac/Actes Sud, 2016.

THÉÂTRE
Angela et Marina (en collaboration avec Valérie Grail), Actes Sud-
Papiers/Leméac, 2002.
Une adoration (adaptation théâtrale de Lorraine Pintal), Leméac, 2006.
Mascarade (avec Sacha), Actes Sud Junior, 2008.
Jocaste reine, Actes Sud/Leméac, 2009.
Klatch avant le ciel, Actes Sud-Papiers/Leméac, 2011.

LIVRES EN COLLABORATION AVEC DES ARTISTES
Tu es mon amour depuis tant d'années (avec des dessins de Rachid
Koraïchi), Thierry Magnier, 2001.
Visages de l'aube (avec des photographies de Valérie Winckler), Actes
Sud/Leméac, 2001.
Le Chant du bocage (en collaboration avec Tzvetan Todorov, avec
des photographies de Jean-Jacques Cournut), Actes Sud, 2005.
Les Braconniers d'histoires (avec des dessins de Chloé Poizat), Thierry
Magnier, 2007.
Lisières (avec des photographies de Mihai Mangiulea), Biro Éditeur,
2008.
Poser nue (avec des sanguines de Guy Oberson), Biro & Cohen Édi-
teurs, 2011.
Démons quotidiens (avec des dessins de Ralph Petty), L'Iconoclaste/
Leméac, 2011.
Edmund Alleyn ou le détachement (avec des lavis d'Edmund Alleyn),
Leméac/Simon Blais, 2011.
Terrestres (avec des reproductions d'œuvres de Guy Oberson), Actes
Sud/Leméac, 2014.

La Fille poilue (avec des aquarelles et des dessins de Guy Oberson), Les éditions du Chemin de fer, 2016.

TRADUCTIONS

Jane Lazarre, *Le Nœud maternel*, L'Aube, 1994 ; repris sous le titre *Splendeur (et misères) de la maternité*, 2001.

Eva Figes, *Spectres*, Actes Sud/Leméac, 1996.

Ethel Gorham, *My Tailor is Rich*, Actes Sud, 1998.

Göran Tunström, *Un prosateur à New York*, Actes Sud/Leméac, 2000.

Göran Tunström, *Chants de jalousie* (poèmes traduits en collaboration avec Lena Grumbach), Actes Sud/Leméac, 2007.

Karen Mulhallen, *Code orange*, poèmes, édition bilingue, Black Moss, 2015.

BABEL

Extrait du catalogue

1338. JAVIER CERCAS
Les Lois de la frontière

1339. JAN GUILLOU
Les Dandys de Manningham

1340. YÔKO OGAWA
Le Petit Joueur d'échecs

1341. JEAN CLAUDE AMEISEN
Sur les épaules de Darwin. Je t'offrirai des spectacles admirables

1342. THOMAS PIKETTY
Chroniques 2004-2012

1343. PIERRE RABHI
Éloge du génie créateur de la société civile

1344. ALAA EL ASWANY
Automobile Club d'Égypte

1345. LÁSZLÓ KRASZNAHORKAI
Guerre & guerre

1346. MARIA ERNESTAM
Le Peigne de Cléopâtre

1347. WLADIMIR ET OLGA KAMINER
La Cuisine totalitaire

1348. MARTA MORAZZONI
La Note secrète

1349. FRÉDÉRIC LORDON
La Malfaçon

1350. ASSOCIATION NÉGAWATT
Manifeste négaWatt

1351. STEFAN KOLDEHOFF ET TOBIAS TIMM
L'Affaire Beltracchi

1352. HUGH HOWEY
Silo Origines

1353. KATARINA MAZETTI
Le Viking qui voulait épouser la fille de soie

1354. MARILYNNE ROBINSON
La Maison de Noé

1355. ROOPA FAROOKI
Les Choses comme je les vois

1356. JOUMANA HADDAD
Superman est arabe

1357. PHILIPPE PETIT
Traité du funambulisme

1358. JULIA KERNINON
Buvard

1359. LYONEL TROUILLOT
Parabole du failli

1360. CÉLINE CURIOL
Un quinze août à Paris

1361. RICHARD FLANAGAN
Le Livre de Gould

1362. RÉGINE DETAMBEL
Son corps extrême

1363. MARIE-SABINE ROGER
Il ne fait jamais noir en ville

1364. JEAN BOFANE
Congo Inc.

1365. HÉLÈNE FRAPPAT
Lady Hunt

1366. KAUI HART HEMMINGS
Les Descendants

1367. TARJEI VESAAS
Le Palais de glace

1368. ANNA ENQUIST
Les Endormeurs

1369. ROLAND GORI
Faut-il renoncer à la liberté pour être heureux ?

1370. JEREMY RIFKIN
La Nouvelle Société du coût marginal zéro

1371. IRINA TEODORESCU
La Malédiction du bandit moustachu

1372. MARC TRILLARD
Les Mamiwatas

1373. MATHIAS ENARD
Remonter l'Orénoque

1374. CÉCILE LADJALI
Shâb ou la nuit

1375. JULI ZEH
Corpus delicti

1376. ALBERT SÁNCHEZ PIÑOL
Victus

1377. FABRICE NICOLINO
Un empoisonnement universel

1378. OLIVIER LE NAIRE
Pierre Rabhi, semeur d'espoirs

OUVRAGE RÉALISÉ
PAR L'ATELIER GRAPHIQUE ACTES SUD.
ACHEVÉ D'IMPRIMER
EN MARS 2016
PAR NORMANDIE ROTO IMPRESSION S.A.S.
61250 LONRAI
SUR PAPIER FABRIQUÉ À PARTIR DE BOIS PROVENANT
DE FORÊTS GÉRÉES DURABLEMENT
POUR LE COMPTE
DES ÉDITIONS ACTES SUD
LE MÉJAN
PLACE NINA-BERBEROVA
13200 ARLES.

DÉPÔT LÉGAL
1re ÉDITION : AVRIL 2016
N° impr. : 1505805
(Imprimé en France)